포르투갈을 만든 결정적 인물 59

포르투갈을 만든 결정적 인물 59

발 행 | 2024년 2월 10일
저 자 | 리스보니따 부부
펴낸이 | 한건희
펴낸곳 | 주식회사 부크크
출판사등록 | 2014.07.15.(제2014-16호)
주 소 | 서울특별시 금천구 가산디지털1로 119 SK트윈타워 A동 305호
전 화 | 1670-8316
이메일 | info@bookk.co.kr

ISBN | 979-11-410-6996-4

www.bookk.co.kr

본 책은 본고딕, 본명조, 나눔고딕, 마포금빛나루, 부크크명조, 부크크고딕, 카페24당당해 글꼴을 사용하여 제작되었습니다.
책 표지와 본문 마지막 페이지에 수록된 이미지는 Bing Image Creator로 만들었습니다.

포르투갈을 만든 결정적 인물 59

지은이 리스보니따 부부

차례

포르투갈을 만든 결정적 인물 59

차례

포르투갈을 만든 결정적 인물 59

저자 소개

저희 리스보니따 부부는 여행전문작가로 현재 포르투갈과 수도 리스본에 관하여 가장 많은 여행 정보와 이야기를 담고 있는 전문 블로그(lisbonita.net)를 운영 중입니다. 처음엔 그저 날씨 좋은 곳에서 충전하기 위해 리스본을 찾았다가 아직도 그 매력에서 빠져나오지 못하고 있습니다. 2017년부터 매일 포르투갈 구석구석, 이 골목 저 골목을 누비면서 역사와 인물들의 이야기를 몸으로 느끼는 중입니다. 더 많은 사람들이 포르투갈과 리스본의 매력에 빠져들기를 바라며 오늘도 걸으며 사진을 찍고 있습니다.

서문

리스본에 오신 것을 환영합니다

포르투갈의 수도 리스본을 방문하신다면 공항 지하철역에서 여러분을 맞이하는 예술적, 문화적 풍요로움에 놀라실 거예요. 흑백 대리석으로 제작된 포르투갈 유명 인사 50명의 캐리커처 49점이 역의 벽면을 장식하고 있기 때문입니다. 이 캐리커처는 포르투갈의 역사와 문화에 대한 헌사이자 지하철을 타고 리스본에 도착한 방문객을 환영하는 의미도 담겨 있습니다.

이 캐리커처는 유명한 정치 만화가인 안토니우 안투네스가 평소와는 다른 새로운 도전을 한 결과물입니다. 안투네스는 전 세계 신문과 잡지에 게재된 만화 중 최고의 만화를 선정하는 국제 콘테스트인 월드 프레스 카툰의 디렉터입니다. 그는 또한 그의 작품으로 유럽 프레스 카툰 그랑프리와 포르투 카툰 페스티벌 그랑프리 등 여러 상을 수상했습니다.

안투네스는 2006년 리스본 메트로폴리타노의 의뢰를 받아 새로운 공항 역을 위한 예술작품 작업을 위해 이 프로젝트에 참여하기 시작했습니다. 그는 포르투갈의 역사, 문화, 과학, 예술, 스포츠, 정치 분야에서 가장 영향력 있고 상징적인 인물들을 미니멀하고 우아한 스타일로 표현하기로 결정했습니다. 각각의 인물들은 그리스산 흰색 타소스 대리석과 벨기에산 검은색 대리석으로 제작되었습니다. 각 조각은 워터젯으로 절단되어 퍼즐을 형성합니다. 각각의 인물을 벽에 배치하는 것은 세심한 작업이었으며, 조각의 합이 역의 건축적 앙상블을 통합하는 최종 오브제로 변모했습니다.

리스본 지하철 공식 [웹사이트]에서 작품 사진을 보거나 직접 역을 방문하여 직접 감상하실 수 있습니다. 공항 지하철역은 공항과 시내 중심가를 연결하는 레드라인의 시작점입니다. 레드라인의 반대편 종점인 상 세바스티앙 역으로 이동하시면 칼루스트 굴벤키안 박물관과 엘 코르테 잉글레스 쇼핑 센터를 방문하실 수 있습니다. 지하철은 리스본을 빠르고 편리하고 저렴하게 돌아다닐 수 있는 방법이자 리스본이 제공하는 예술적, 문화적 보물을 발견할 수 있는 좋은 기회이기도 합니다. 리스본에서 즐거운 여행 되시길 바랍니다.

일러두기

이 책은 리스본 공항 지하철역에 소개된 포르투갈 근현대사의 주요 인물 50명에 대해서 설명하고 있습니다. 거기에 포르투갈 근현대사를 이해하는데 알아두면 좋을 9명을 저희가 추가로 더 선정하여 뒷부분에 소개하고 있습니다. 각각의 파트는 태어난 연도 순서로 정리했습니다.

안토니우 모레이라 안투네스 (1953)

안토니우(António)라고도 알려진 안토니우 모레이라 안투네스(António Moreira Antunes)는 포르투갈의 정치 만화가로, 마르셀루(Marcelo Rebelo de Sousa) 포르투갈 대통령이 "포르투갈의 젊은 민주주의를 대표하는 최고의 정치 만화가"라고 묘사한 바 있습니다.

안토니우는 1953년 4월 12일 리스본 인근 마을인 빌라 프랑카드 시라(Vila Franca de Xira)에서 태어나 안토니우 살라자르와 그의 후계자 마르셀루 카이타노의 독재 정권 아래에서 자랐습니다. 그는 권위주의 정권을 종식시킨 카네이션 혁명이 일어나기 한 달 전인 1974년 3월 16일에 신문 레푸블리카(República)에 첫 만화를 발표했습니다. 그는 다가오는 혁명을 예고하는 상징적인 이미지, 즉 탱크 앞에서 꽃을 들고 있는 한 남자를 그렸습니다. 이 날은 칼다스 봉기(Levantamento das Caldas)라고 불리는 실패한 쿠데타가 일어난 날로, 카네이션 혁명의 전조라고 평가받고 있습니다.

안토니우는 에스타두 노부(Estado Novo, 살라자르 독재 시기)에 의해 억압받던 이 분야에서 미래에 대한 큰 기대 없이 "우연히" 만화가로서의 경력을 시작했습니다. 다양한 언론 매체를 망라하며 일한 후 1974년 12월 주간지 익스프레수(Expresso)로 자리를 옮겼습니다. 익스프레수에서 그는 100주간 연재된 카파르나움(Kafarnaum)이라는 만화를 만들었는데, 혁명 이후 포르투갈의 정치 및 사회 상황에 대한 풍자적이고 비판적인 시각으로 논란을 불러 일으켰습니다. 또한 카파르나움에 실린 작품을 모아 첫 번째 책을 출간하기도 했습니다.

1983년에는 또 다른 저서인 『수스펜소리오스(Suspensórios)』를 출간했으며, 같은 해 이스라엘의 레바논 침공을 비난하는 만화로 캐나다 몬트리올에서 열린 제20회 국제 카툰 살롱에서 대상을 수상했습니다. 그의 만화는 국제 기관인 카투니스트 & 작가 신디케이트에서 배포하기 시작했고, 카투니스트 & 작가 신디케이트는 다른 나라의 유명 만화가들과 함께 그를 <세계의 전망>이라는 카탈로그에 포함시켰습니다. 1980년대에는 이아네스(Eanes) 대통령을 상징하는 의자, 수아레스(Soares) 총리를 상징하는 악마, 부처, 돼지 저금통 등 의인화된 형태의 한정판 도자기 작품도 제작했습니다. 또한 카드 무늬는 주요 정당을, 궁정 카드는 저명인사를, 조커는 안토니우 하말뉴 이아네스(António Ramalho Eanes)를 상징하는 정치 플레잉 카드를 디자인했습니다. 그는 또한 유명 인사의 캐리커쳐를 담은 두 권의 책, 앨범 드 카라스(Álbum de Caras) I과 II를 추가로 출간했습니다.

1993년, 안토니우는 자신의 경력 중 가장 큰 논란인 교황 콘돔

사건에 휘말렸습니다. 그는 피임과 에이즈 예방에 대한 가톨릭 교회의 입장에 대한 항의의 표시로 교황 요한 바오로 2세가 코에 콘돔을 끼고 있는 모습을 그린 만화를 그렸습니다. 이 만화는 바티칸과 포르투갈 정부, 대중의 거센 반발을 불러일으켰고 안토니오는 살해 위협과 소송을 당했습니다. 그는 표현의 자유와 예술적 창의성에 대한 자신의 권리를 옹호하며 다른 만화가와 인권 단체의 지지를 받았습니다. 이 만화는 그의 가장 유명하고 논쟁적인 작품이 되었으며, 여러 국제 전시회와 출판물에 전시되었습니다.

안토니우는 2017년, 43년간의 협업 끝에 신문사를 떠날 때까지 계속해서 Expresso에서 일했습니다. 또한 잡지 Visão, 라디오 방송국 TSF, 텔레비전 채널 SIC Notícias와 같은 다른 미디어 매체에서도 일했습니다. 또한 포르투갈과 해외에서 여러 단체 및 개인 전시회에 참여했으며, 예술적, 시민적 공헌으로 수많은 상과 영예를 받았습니다. 2005년에는 조르즈 삼파이우(Jorge Sampaio) 대통령으로부터 엔히크 왕자 훈장(대항해 시대를 연 포르투갈 탐험가 엔히크 왕자 서거 500주년을 기념하기 위해 1960년에 만들어진 포르투갈 기사 작위)을 받았습니다.

2006년에는 리스본 공항역을 장식할 포르투갈의 인물들을 그려 달라는 의뢰를 받았고, 이곳에는 포르투갈의 근현대사를 잘 보여주는 50명의 인물이 그려져 있습니다. 2012년 7월에 일반 공개되었습니다.

포르투갈을 만든
결정적 인물 1부

에사 드 케이로스
(1845 - 1900)

에사 드 케이로스(Eça de Queirós)는 1845년 11월 25일 포르투갈 북부의 해안 마을인 포보아 데 바르짐(Póvoa de Varzim)에서 태어났습니다. 그는 치안판사였던 아버지와 귀족 여성인 어머니 사이에서 태어난 사생아였습니다. 이 사실은 당시 사회적 환경에서는 스캔들로 여겨졌습니다. 그의 부모는 그가 네 살 때에야 정식으로 결혼했지만, 그는 열 살 때까지 친조부모와 함께 살았습니다.

16세에는 코임브라 대학교에서 법학을 공부하기 위해 코임브라로 이주했습니다. 그곳에서 포르투갈의 사회 및 문화 개혁을 주장한 젊은 지식인 그룹인 70세대의 시인이자 리더였던 안테루 드 켄탈(Antero de Quental)을 만났습니다. 에사 드 케이로스는 이들의 사상에 영향을 받아 문학적, 정치적 토론에 참여하게 됩니다. 그는 또한 자신의 첫 작품인 산문시 연작을 <포르투갈 공보(Gazeta de Portugal)> 잡지에 발표하기 시작했습니다.

1866년 졸업 후 에보라에서 저널리스트로 일하다 리스본에 돌아온 후 친구인 하말류 오르티강(Ramalho Ortigão) 및 다른 작가들과 공동 작업을 했습니다. 또한 아버지의 발자취를 따라 외교관으로서의 경력도 시작했습니다. 1873년 쿠바 하바나에서 영사로 부임한 후 1874년 영국 뉴캐슬 어폰 타인에서 영사로 임명되었습니다. 영사로 일하던 과정 중에 그는 이집트의 수에즈 운하 개통, 프랑스의 프랑코-프러시아 전쟁, 영국 탄광촌의 사회 불안을 목격했습니다. 그는 이러한 경험을 소설과 에세이의 영감의 원천으로 삼아 여가 시간에 틈틈이 글을 썼습니다.

1875년에는 포르투갈 가톨릭 성직자들의 부패와 위선을 신랄하게 풍자한 첫 소설 『아마루 신부의 범죄(O Crime de Padre Amaro)』를 출간했습니다. 이 소설은 가톨릭교회로부터 큰 항의를 받았지만, 에사 드 케이로스를 주요 문인으로 자리매김하게 했습니다. 1878년 리스본의 간통과 부르주아 도덕을 사실적으로 묘사한 『사촌 바질리우(O Primo Basílio)』로 성공을 거두었습니다.

1879년에는 영국에서 만난 포르투갈 귀족 에밀리아 드 카스트루와 결혼했습니다. 두 사람 사이에는 네 명의 자녀가 있었지만 두 명만이 살아남았습니다. 에사 드 케이로스는 헌신적인 아버지이자 남편이었지만 여러 번의 불륜을 저질렀고, 그 중 일부는 사생아를 낳기도 했습니다. 그는 복잡하고 모순적인 인물로, 자신의 감정과 가치관에 대해 고민했습니다.

그는 1880년 영국 브리스톨에서 영사로, 1888년 프랑스 파리에서 영사로 근무하며 외교관 생활을 이어갔습니다. 또한 1887년 성지 순례에 대한 유머러스하고 아이러니한 이야기인 <유물(A

Relíquia)>, 1888년 퇴폐적이고 파멸한 귀족 가문의 이야기를 다룬 <마이아스 가문(Os Maias)> 등 가장 호평받고 영향력 있는 작품을 발표하며 문학 활동을 이어나갔습니다; 또 다른 주요 작품으로는 1900년 가상의 모험가이자 작가인 프라디크 멘데스의 편지 모음집(Correspondência de Fradique Mendes), 1900년 고귀한 혈통의 쇠퇴를 다룬 역사 및 심리 소설인 '하미레스 가문의 명성(A Ilustre Casa de Ramires)' 등이 있습니다.

문학적 명성과 개인적 행복에도 불구하고 에사의 건강은 지속적인 근심거리였습니다. 평생 신경쇠약증과 기타 질병을 비롯한 다양한 건강 문제와 싸웠습니다. 결국 에사 드 케이로스는 1900년 8월 16일 파리 근교 뇌이 쉬르 센에서 54세의 나이로 사망했습니다. 그의 유해는 포르투갈 군함을 통해 파리 르 아브르에서 리스본으로 이송되었고, 성대한 장례식 후 베이앙(Baião)에 있는 가족 묘지로 옮겼습니다. 포르투갈 정부에서는 국립 판테온에 모시려고 했지만 리스본에 묻히길 원하지 않았던 고인의 뜻에 따라 그 제안은 거절되었습니다.

하지만 2020년 에사 드 케이로스 재단의 대표인 그의 후손이 국립 판테온 이장을 요청하고, 2021년 국회에서 만장일치로 국립 판테온 이장을 결정하면서 상황이 급변하게 되었습니다. 그래서 2023년 9월 27일 국립 판테온 이전이 예정되었지만 고인의 뜻을 존중해 달라는 다른 후손들의 반대 소송으로 행사가 중단되며 법적 소송으로 넘어갔습니다. 2024년 1월 대법원이 국립 판테온 이전 주장에 손을 들어주면서 작가가 어디에 묻혀야 되는가에 대한 문제가 마무리되었습니다.

RAFAEL BORDALO PINHEIRO

하파엘 보르달루 피녜이루 (1846 - 1905)

하파엘 보르달루 피녜이루(Rafael Bordalo Pinheiro)는 일러스트레이션, 캐리커처, 조각, 도자기 분야에서 위대한 업적을 남긴 포르투갈의 예술가입니다. 그는 포르투갈 국민의 상징이 된 인기 만화 캐릭터인 제 포비뉴(Zé Povinho)를 만든 장본인이기도 합니다. 또한 포르투갈 만화와 포스터 예술의 선구자이자 다작의 저널리스트, 편집자, 교사였습니다.

하파엘은 1846년 3월 21일 리스본의 예술가 집안에서 태어났습니다. 그의 아버지인 마누엘 마리아 보르달로 피네이루는 화가였고, 그의 동생인 콜럼바누 보르달루 피녜이루도 화가였습니다. 하파엘은 일찍부터 예술에 관심을 보여 음악원, 미술 아카데미, 문학 과정, 드라마 예술 학교 등 다양한 과정에 등록했지만 곧 모든 과정을 중퇴했습니다. 연기에도 도전했지만 아버지의 반대로 무대에서 경력을 쌓지는 못했습니다.

그는 그림, 특히 캐리커처와 풍자에서 자신의 진정한 소명을 발견했습니다. 그는 당시의 정치적 음모와 사회 문제에서 영감을 받아 날카로운 재치와 유머로 권력자와 특권층을 비판하고 조롱했습니다. 그는 포르투갈 최초의 풍자 팸플릿인 <베르린다>와 <오 칼칸하르 데 아퀼레스>와 같은 유머 잡지에 자신의 일러스트와 만화를 게재하기 시작했습니다. 그는 독창적이고 혁신적인 스타일로 빠르게 명성과 인정을 받았으며 다른 많은 아티스트들에게 영향을 주었습니다. 또한 영국의 저명한 출판사인 일러스트레이티드 런던 뉴스와 협업하기도 했습니다.

1875년에는 가장 유명한 캐릭터인 제 포비뉴를 만들었는데, 말 그대로 '소시민 제'이라는 뜻입니다. 제 포비뉴는 가난한 농민으로 포르투갈의 서민과 그들의 어려움, 기쁨, 의견을 대변하는 캐릭터였습니다. 그는 종종 팔을 들어 겨드랑이를 보여주는 망기투(manguito)라는 무례한 제스처를 취하며 당국과 엘리트에 대한 반항과 경멸을 표현했습니다. 제 포비뉴는 국민적 아이콘이자 저항과 회복력의 상징이 되었습니다.

같은 해에 하파엘은 브라질로 이주하여 Mosquito(모기), O Besouro(오 베조우루) 등 여러 신문사에서 일러스트레이터와 만화가로 활동했습니다. 또한 리스본에 자신의 기고문을 보내 당시 가장 성공적이고 영향력 있는 잡지 중 하나였던 O António Maria를 창간했습니다. 1879년 포르투갈로 돌아와 저널리즘과 예술 작업을 계속했습니다.

1885년에는 점토와 도자기를 실험하고 자신이 설립하고 감독한 공장인 파이앙사스 다스 칼다스 다 하이냐(Fábrica de Faianças das

Caldas da Rainha)에서 예술적인 도자기를 생산하기 시작했습니다. 그는 양배추 모양의 접시, 동물 모양의 주전자, 제 포비뉴와 다른 캐릭터의 피규어 등 독창적이고 기발한 디자인을 만들었습니다. 그의 도자기는 큰 인기를 얻었으며 여전히 포르투갈 디자인과 문화의 상징으로 여겨지고 있습니다.

하파엘은 많은 젊은 예술가들의 스승이자 멘토이기도 했습니다. 그는 리스본 산업 및 상업 연구소와 국립미술협회에서 가르쳤습니다. 그의 재능과 관대함, 열정을 높이 평가한 동료와 제자들로부터 존경과 존경을 받았습니다.

하파엘은 1905년 1월 23일 리스본의 시아두(Chiado)에서 58세의 나이로 사망했으며, 저명한 정치인을 비롯한 많은 사람들이 참석한 가운데 가톨릭 장례식을 치렀습니다. 그는 방대하고 다양한 작품을 남겼으며, 이 작품들은 리스본의 하파엘 보르달루 피녜이루 박물관에 보존 및 전시되어 있습니다. 그는 19세기 포르투갈에서 가장 중요하고 영향력 있는 예술가 중 한 명이자 캐리커처, 만화, 도자기의 대가로 널리 알려져 있습니다.

COLUMBANO
BORDALO PINHEIRO

콜롬바누 보르달루 피네이루 (1857 - 1929)

콜롬바누 보르달루 피네이루(Columbano Bordalo Pinheiro)는 1857년 11월 21일 리스본 강 건너편의 도시 알마다(Almada)에서 태어났습니다. 그는 예술가 집안 출신으로, 아버지 마누엘 마리아 보르달루 피네이루는 화가이자 만화가였고, 형 하파엘 보르달루 피네이루는 유명한 풍자 화가이자 도예가였습니다. 콜롬바누에게는 예술가이자 작가였던 여동생 마리아 아우구스타도 있었습니다.

콜롬바누는 어린 시절부터 그림과 회화에 재능을 보였고, 리스본 미술 아카데미에 입학하여 유명 조각가인 시몽이스 드 알메이다(Simões de Almeida)에게 배웠습니다. 또한 그에게 구도, 색상, 원근법의 원리를 가르쳐 준 아버지로부터도 배웠습니다. 콜롬바누는 아버지의 낭만주의에 영향을 받았지만, 유럽에서 새로운 예술 운동으로 부상하던 사실주의와 자연주의에도 관심을 갖게 되었습니다.

1881년, 콜롬바누는 페르난두 2세(Fernando II) 왕의 두 번째 아내인 에들라 백작부인(Condessa de Edla)으로부터 파리에서 공부할 수 있는 장학금을 받았습니다. 파리에서 그는 쿠르베, 마네, 드가 등 프랑스 화가들의 작품을 접하며 아카데미의 관습에 도전하고 도시의 현대적인 삶을 탐구하는 모습에 큰 영향을 받았습니다. 콜롬바누는 그들의 사실주의, 빛과 그림자의 사용, 표현적인 붓놀림에 깊은 인상을 받았습니다. 또한 인물의 개성과 심리를 포착하는 능력, 특히 초상화에서 그러한 능력에 감탄했습니다.

1884년, 콜롬바누는 당시의 현대미술을 대표하는 권위 있는 전시회인 살롱전에 참가하여 자신의 집에서 열린 저녁 모임을 그린 작품 'A Soirée at His House'를 선보였습니다. 이 작품은 비평가와 대중으로부터 사실주의, 분위기, 유머 등을 높이 평가받았습니다. 콜롬바누는 전도유망한 젊은 예술가로 주목받으며 프랑스 예술가 협회의 초청을 받았습니다.

1885년, 콜롬바누는 포르투갈로 돌아와 '라이온 그룹'에 합류했습니다. 이 그룹은 리스본 시내의 한 레스토랑인 '골든 라이온'에서 정기적으로 모임을 가졌던 예술가, 작가, 지식인 모임이었습니다. 이 그룹은 포르투갈의 문화와 예술을 새롭게 하고, 자연주의를 국가의 현실을 표현하는 방법으로 장려하는 것을 목표로 했습니다. 콜롬바누는 이 그룹의 리더가 되었고, 당대 가장 영향력 있는 화가 중 한 명이 되었습니다. 또한 에사 드 케이로스(Eça de Queirós), 하말류 오르티강(Ramalho Ortigão), 테오필루 브라가(Teófilo Braga), 안테루 드 켄탈(Antero de Quental) 등 포르투갈 사회와 문학의 저명한 인물들과 친구가 되었습니다.

콜롬바누는 또한 자신의 예술가 모임 회원들을 묘사한 '라이온 그룹'과 포르투갈 왕자와 그의 연인의 비극적인 사랑 이야기를 그린 '이네스 드 카스트로'와 같은 역사적이고 사회적인 장면을 그렸습니다. 그는 또한 포르투갈 의회의 본거지인 상 벤투 궁전과 리스본 군사 박물관과 같은 공공 건물을 위한 장식 패널도 그렸습니다. 책과 잡지에 삽화를 그렸고 형 하파엘과 함께 도자기와 가구 디자인에도 협업했습니다.

콜롬바누는 19세기 포르투갈 최고의 화가로 인정받아 여러 명예와 표창을 받았습니다. 1897년 리스본 미술 아카데미의 역사 회화 교수로 임명되었고 1910년 국립 현대미술관 관장이 되었습니다. 또한 산티아구 다 에스파다 훈장을 수여받고 리스본 왕립 과학 아카데미의 회원이 되었습니다. 그의 유산과 스타일을 이어받은 많은 제자와 추종자들이 있었습니다. 그가 열렬한 공화주의자였기에 1910년 공화 혁명 이후 새로운 깃발의 디자인도 맡았으며 오랜 시간 국립 현대 미술관(Museu Nacional de Arte Contemporânea do Chiado - MNAC)의 관장으로 근무하기도 했습니다.

콜롬바누는 1929년 11월 6일 71세의 나이로 리스본에서 사망했습니다. 그는 비전, 재능, 인격을 반영하는 방대하고 놀라운 작품을 남겼습니다. 그는 포르투갈 예술에서 사실주의와 자연주의의 선구자이자 초상화의 대가였습니다. 또한 자신의 시대의 문화적, 사회적 변화의 증인이자 참여자였으며 포르투갈의 정체성과 정신을 대표하는 인물이었습니다. 한마디로 그는 예술가로서의 삶을 살았습니다.

비아나 다 모타
(1868 - 1948)

비아나 다 모타(Viana da Mota)는 대서양의 열대 섬에서 태어났지만, 대부분의 삶은 유럽의 춥고 비가 오는 땅에서 보냈습니다. 그는 피아노의 신동이었고, 전설적인 프란츠 리스트의 제자였으며, 페루치오 부조니의 친구이자 바흐와 베토벤의 옹호자였고, 교향곡과 소나타 작곡가, 오케스트라와 합창단의 지휘자, 여러 세대의 음악가들의 스승, 포르투갈 음악사 학자였습니다. 한마디로 그는 19세기 후반과 20세기 초반 음악계에서 가장 주목할 만한 인물 중 한 명이었습니다.

그는 아프리카 해안에서 떨어진 포르투갈 식민지 상투메(São Tomé)에서 1868년 4월 22일 태어났습니다. 그의 아버지는 리스본에서 이주한 약사였고 어머니는 섬 출신이었습니다. 그는 아버지의 이름을 따 주제(José)라고 불렸지만 어머니의 성 비아나를 첫 이름으로 사용하는 것을 선호했습니다. 그는 어린 나이부터 음악에 뛰어난 재능을 보였고 다섯 살 때 첫 작품을 작곡했습니다. 음악 애호가이기도 했던 아버지는 아들의 성장을 격려했고 여섯 살 때 리스본 왕궁에서 연주할 수 있도록 주선했습니다. 그곳에서 그는 페르난두 2세 국왕과 그의 아내 에들라 백작부인을 감동시켰고, 그의 후원자가 되어 교육비를 지원했습니다.

1882년, 비아나 다 모타는 상투메를 떠나 샤르벤카 음악원에 입학하기 위해 베를린으로 이주했습니다. 그는 크사버 샤르벤카(Xaver Scharwenka)에게서 피아노를, 그의 동생 필립에게서 작곡을 배웠는데, 둘 다 당대의 저명한 음악가였습니다. 또한 바그너 학회의 일원인 칼 셰퍼(Carl Schaeffer)로부터 레슨을 받으며 독일 거장의 작품을 접했습니다. 1885년, 그는 바이마르에서 마스터 클래스를 진행하던 당대 최고의 피아니스트 프란츠 리스트(Franz Liszt)를 만나 공부할 기회를 얻었습니다. 비아나 다 모타는 리스트의 마지막 제자 중 한 명이었으며, 리스트는 이듬해 사망했습니다. 그는 나중에 '리스트의 삶(A Vida de Liszt)'이라는 제목의 헝가리 천재와의 경험을 담은 책을 썼습니다.

비아나 다 모타는 1888년 바이올린 연주자인 파블로 드 사라사테와 티바다르 나헤즈와 함께 유럽 순회 공연을 하며 콘서트 피아니스트로서 경력을 쌓기 시작했습니다. 그는 곧 고전주의와 낭만주의 레퍼토리, 특히 바흐, 베토벤, 리스트의 최고의 해석자 중 한 명으로 명성을 얻었습니다. 또한 브람스, 슈만, 쇼팽, 슈베르트, 멘델스존, 그리그, 알캉, 샤르벤카 등 동시대 작곡가들의 작품도 연주했습니다. 그는 기교, 표현력, 명료함, 우아함으로 비평가와 관객 모두에게 찬사를 받았습니다. 또한 겸손함, 관대함, 유머 감각으로도 존경받았습니다.

그는 피아니스트뿐만 아니라 100곡이 넘는 작품을 작곡한 작곡가이기도 했습니다. 대부분 피아노를 위한 곡이었지만 오케스트라, 실내악 앙상블, 합창, 성악을 위한 곡도 있었습니다. 그의 스타일은 리스트, 바그너, 슈만, 브람스 등의 영향을 받았지만, 수집하고 연구한 포르투갈 민속 음악의 영향도 받았습니다.

1919년부터 1938년까지 리스본 음악원 원장을 맡으며 음악교육의 현대화에 앞장섰습니다. 그의 제자 중 유명한 인물들로는 시끌리오 데 컬투라 뮤지컬의 설립자인 엘리자 드 소우자 페드로주(Elisa de Sousa Pedroso), 마리아 주앙 피레스를 가르친 캄푸스 코엘류(Campos Coelho), 작곡가이자 엘레나 사 이 코스타의 아버지인 루이즈 코스타(Luiz Costa), 작곡가 겸 음악학자인 페르난두 로페스 그라사(Fernando Lopes-Graça), 그의 마지막 제자인 피아니스트 세케이라 코스타(Sequeira Costa) 등이 있습니다. 엄격하면서도 영감을 주는 스승으로 자신의 지식과 열정을 제자들에게 전수했습니다. 음악이론, 역사, 비평에 관한 책과 논문도 여러 편 썼습니다.

그는 1948년 6월 1일 리스본에서 80세의 나이로 사망했습니다. 처음에는 상 주앙 묘지(Cemitério do Alto de São João)에 묻혔다가 2016년 프라제레스 묘지(Cemitério dos Prazeres)로 이장되었습니다. 그가 남긴 음악과 문화의 유산은 오늘날까지도 여전히 존경받고 사랑받고 있습니다. 그는 실로 음악 인생을 살았습니다.

CALOUSTE GULBENKIAN

칼루스트 굴벤키안 (1869 - 1955)

칼루스트 굴벤키안(Calouste Gulbenkian)은 1869년 터키 이스탄불 출신의 부유한 아르메니아 가정에서 태어났습니다. 그의 아버지는 오스만 제국과 긴밀한 관계를 가진 성공한 석유 수입 및 수출업자였습니다. 어머니는 아일랜드 혈통이었습니다.

1887년, 그는 킹스 칼리지에서 석유공학을 공부하기 위해 런던으로 이주했습니다. 그는 에너지와 부의 원천으로서 석유의 잠재력에 매료되었습니다. 곧 이 분야의 전문가가 되었고 다양한 석유 회사의 컨설턴트로 일하기 시작했습니다. 러시아, 이란, 이라크, 이집트 등 석유가 풍부한 지역을 광범위하게 여행했습니다. 협상을 진행하고, 이권을 확보하고, 파트너십을 형성했습니다. 다양한 정부, 문화, 종교를 다루는 방법을 알았던 외교의 대가였습니다. 또한 자신이 관여하는 모든 사업에서 5%의 지분을 요구한 약삭빠른 사업가이기도 했습니다. 이로 인해 그는 막대한 부를 얻었고 '미스터

5%'라는 별명도 얻게 되었습니다.

그의 가장 주목할 만한 업적 중 하나는 1912년 터키 석유 회사(현 이라크 석유 회사)를 설립한 것입니다. 앵글로-페르시안 석유 회사(나중에 BP), 로열 더치 쉘, 도이체방크, 오토만 은행 등 4개의 주요 석유 회사를 하나로 모았습니다. 또한 오스만 제국, 독일, 영국, 프랑스의 지원을 확보했습니다. 당시 오스만 제국의 일부였던 이라크의 방대한 석유 매장량을 개발할 컨소시엄을 구상했습니다. 이 프로젝트의 원동력이었으며 회사의 5% 지분을 보유했습니다. 또한 어떤 결정이든 거부권을 행사할 수 있었습니다. 그는 석유 산업의 킹메이커였습니다.

하지만 1914년 제1차 세계 대전이 발발하면서 그의 계획은 중단되었습니다. 오스만 제국은 동맹국에 가담했고 영국과 프랑스는 협상국에 가담했습니다. 오스만 제국과 영국 시민권을 모두 가지고 있던 굴벤키안은 어려운 상황에 처하게 되었습니다. 중립을 유지하려 했지만 전쟁으로 인해 자산과 이익이 위협받게 되었습니다.

전쟁 후 중동의 정치 지도는 급격하게 변화했습니다. 오스만 제국은 붕괴했고 이라크는 영국의 위임 통치령이 되었습니다. 터키 석유 회사는 이라크에서 석유 이권을 확보하는 데 많은 어려움과 지연을 겪었습니다. 1925년에 독점 석유 탐사권을 확보하는데 성공했고, 1927년이 되어서야 키르쿠크 근처의 바가 구르구르(Baba Gurgur)에서 첫 유정이 시추되었습니다. 이는 대성공이었고 이라크 석유 붐의 시작을 알렸습니다. 굴벤키안은 매우 기뻐하며 새 롤스로이스를 구입하며 자축했습니다. 또한 수백만 파운드에 달하는 수익의 5%를 배당금으로 받았습니다.

굴벤키안은 석유뿐만 아니라 예술에도 관심이 많았습니다. 14세 때 처음으로 그림을 구입한 어린 시절부터 예술품 수집에 열정을 쏟았습니다. 굴벤키안의 예술 컬렉션은 세계에서 가장 위대하고 다양한 컬렉션 중 하나였습니다. 1956년에는 칼루스트 굴벤키안 재단을 설립하여 사후 자신의 컬렉션과 재산을 관리하도록 했습니다. 인류의 이익과 전 세계의 예술, 과학, 교육 및 사회 복지 증진을 위해 자신의 부를 사용하고자 했습니다. 그가 평생 모든 6,400여 점의 예술 작품 대부분은 리스본에 있는 굴벤키안 미술관(Museu Calouste Gulbenkian)에서 보유하고 있습니다. 워낙 소장품이 방대하여 상설 전시되는 부분은 전체의 1/6 정도로 알려져 있습니다.

제2차 세계대전이 진행되던 1942년, 굴벤키안은 포르투갈의 리스본에서 여생을 보냈습니다. 처음에는 뉴욕으로 가는 길에 경유지로 잠깐 들른 것이었지만 병에 걸려 체류기간이 의도치 않게 길어졌고 그렇게 지내다보니 포르투갈이 마음에 들었습니다. 그가 포르투갈을 선택한 이유는 이 나라가 중립국이고, 기후가 좋으며, 사람들이 친절했기 때문입니다.

그는 아비즈 호텔(Hotel Aviz)의 스위트룸에서 거주하며, 자신의 직원들과 책, 예술품에 둘러싸여 살았습니다. 그는 거의 호텔을 떠나지 않았고, 대중의 관심과 사회적 접촉을 피했습니다. 그는 1955년 7월 20일에 86세의 나이로 사망했습니다. 그의 시신은 런던의 성 사르키스 아르메니안 교회에 아내와 아들 옆에 묻혔습니다. 그의 모든 재산은 유언장에 의해 그의 이름을 딴 재단에서 상속했으며 재단 설립지는 포르투갈로 정해졌습니다.

가구 쿠티뉴
(1869 - 1959)

만약 여러분이 포르투갈의 리스본에 있다면, 벨렝탑 근처 작은 비행기 옆에 서 있는 두 남자의 동상이 누구를 기념하기 위한 것인지 궁금해하실지도 모르겠습니다. 그 중 한 명은 항해 전문가인 해군 장교 가구 쿠티뉴입니다. 다른 한 명은 항공 개척자인 해군 장교 사카두라 카브랄입니다. 이 둘은 함께 20세기 초 가장 놀라운 위업 중 하나인 남대서양 최초 공중 횡단을 달성했습니다.

가구 쿠티뉴(Gago Coutinho)는 1869년 2월 17일 포르투갈 리스본에서 소박한 가정에서 태어났습니다. 그의 본명은 카를로스 비에가스 가구 쿠티뉴(Carlos Viegas Gago Coutinho)였지만, '가구'라는 이름을 선호했습니다. 1885년 고등학교를 졸업하고 1886년 알마다의 알페이테에 있는 해군 학교 입학을 준비하기 위해 일 년간 폴리테크닉 학교에 다녔습니다. 1886년 수련생을 뜻하는 근사한 표현인 '애스퍼런트'로 해군에 입대했습니다. 1890년에는 해병 경비병으로,

1891년에는 소위로, 1895년에는 중위로 진급했습니다. 그는 자신의 일을 잘했거나 적어도 명령에 잘 따랐던 것이 분명합니다.

해군에서의 초년기에 그는 주로 포르투갈이 식민지나 이해관계를 가지고 있던 아프리카와 아시아의 다양한 지역을 여행했습니다. 하지만 전쟁을 좋아하지 않았고 지리학과 지도 제작과 같은 보다 평화롭고 과학적인 연구에 몰두하는 것을 선호했습니다.

지리학자이자 지도 제작자로서의 경력은 1898년 포르투갈령 티모르의 국경 확정과 지리적 지도 제작 작업을 맡으면서 시작되었습니다. 티모르는 포르투갈 식민지 중 가장 멀고 이국적인 곳으로, 그는 그곳에서 거의 1년을 보내며 열악한 환경과 적대적인 원주민, 열대 질병을 견뎌냈습니다. 또한 현지 문화, 식물상, 동물상에 대해 많은 것을 배웠고, 이후 박물관과 기관에 기증한 많은 표본과 유물을 수집했습니다. 그는 세계의 다양성과 풍요로움에 매료되어 가능한 한 많은 곳을 탐험하고 지도로 만들고 싶어 했습니다.

1899년 포르투갈로 돌아왔지만 곧 다시 모잠비크로 파견되어 1900년부터 1901년까지 니아사 영토의 국경 확정 작업을 수행했습니다. 1907년에는 동아프리카 측지 미션의 책임자로 임명되어 1911년까지 이 직책을 맡았습니다. 그는 정교한 장비와 방법을 사용하여 다양한 지역에서 측지 정점을 설정하고 좌표를 결정하는 책임을 맡았습니다. 지도 제작을 위해 도보로 아프리카를 횡단하던 중 그의 친구이자 파트너가 된 포르투갈의 비행사이자 탐험가인 사카두라 카브랄(Sacadura Cabral)를 만났습니다. 사카두라 카브랄은 당시 새롭고 흥미진진한 분야였던 항공에 관심을 가지도록 그를 격려했습니다. 함께 인공 지평선이 달린 육분의와 코스 수정기 같은 항공

기의 항해를 개선하는 몇 가지 장치를 발명했습니다. 1921년에는 포르투갈 본토에 있는 리스본에서 마데이라의 푼샬까지 최초로 공중 횡단하는 데 이 장치들을 테스트했습니다.

이것은 그들의 가장 야심차고 대담한 프로젝트인 1922년 포르투갈에서 브라질까지 남대서양을 최초로 공중 횡단하는 리허설에 불과했습니다. 이 비행은 1822년까지 포르투갈 식민지였던 브라질의 독립 100주년 기념행사의 일환이었습니다. 그들은 포르투갈의 고대 이름을 따서 루지타니아라고 이름 붙인 페어레이 III 수상 비행기를 타고 여정을 계획했습니다. 또한 예비 부품, 연료, 보급품을 운반하는 지원선인 '레푸블리카'도 있었습니다. 그들은 1922년 3월 30일 리스본을 떠나 79일 62시간의 비행 끝에 1922년 6월 17일 리우데자네이루에 도착했습니다. 악천후, 엔진 고장, 항해 오류, 사고 등 많은 도전과 좌절을 겪었습니다. 그들은 놀라운 용기, 인내심, 기술을 보여줬고 목표를 절대 포기하지 않았습니다. 브라질에서는 많은 명예와 찬사를 받으며 영웅으로 환영받았습니다. 포르투갈에서도 최고의 군사 훈장을 수여받고 더 높은 계급으로 승진하는 등 따뜻한 환대를 받았습니다. 그들은 역사를 만들었고 비행사와 모험가 세대에게 영감을 주었습니다.

가구 쿠티뉴는 지리학자, 지도 제작자, 역사학자, 작가로서의 작업을 계속했습니다. 그는 포르투갈 발견의 역사, 아프리카와 아시아의 지리, 지구 모양 이론 등 다양한 주제에 관한 여러 권의 책과 논문을 발표했습니다. 또한 리스본 과학 아카데미, 포르투갈 지리학회, 국제 측지 및 지구물리학 연합과 같은 여러 과학 및 문화 기관에 참여했습니다. 그는 동료들과 대중으로부터 존경과 찬탄을 받았으며 국내외에서 많은 명예와 표창을 받았습니다. 또한 자신의 업적을 자랑하거나 명성이나 부를 추구하지 않는 겸손하고 소박한 사람이었습니다. 가족과 친구들에게 헌신적이었으며 소박하고 조용한 삶을 즐겼습니다. 그는 90세 생일 하루 뒤인 1959년 2월 18일 리스본에서 사망했고, 아주다 묘지(Cemitério da Ajuda)에 묻혔습니다. 그는 모험과 발견, 호기심과 지식, 용기와 우정의 유산을 남겼습니다. 그는 놀라운 사람이었고 진정한 선구자였습니다.

사카두라 카브랄
(1881 - 1924)

사카두라 카브랄(Sacadura Cabral)은 1881년 5월 23일 포르투갈 베이라 내륙 지역의 작은 마을에서 태어났습니다. 그의 본명은 아르투르 드 사카두라 프레이르 카브랄(Artur de Sacadura Freire Cabral)이었지만, 간단히 사카두라 카브랄로 불리는 것을 선호했습니다. 부유한 대지주 아버지와 교양 있는 어머니 사이에서 태어난 그는 좋은 교육과 모험에 대한 취향을 물려받았습니다.

사카두라 카브랄은 어린 시절부터 바다와 하늘에 매료되었습니다. 탐험가와 발명가에 대한 책을 읽는 것을 좋아했고 세계를 여행하는 꿈을 꾸었습니다. 그는 해군에 입대하기로 결심하고 리스본에 있는 해군 사관학교에 입학하여 학업에서 우수한 성적을 거두었습니다. 1903년 소위로 졸업한 후 아프리카에 있는 포르투갈 식민지 모잠비크에서 복무하라는 명령을 받았습니다.

그곳에서 1910년 프랑스 비행사의 시범 비행을 목격하면서 항공과 처음으로 접촉하게 되었습니다. 한 남자가 기계에 타고 하늘을 나는 모습에 깊은 인상을 받은 그는 직접 비행하는 법을 배우기로 결심했습니다. 항공 이론에 관한 책을 구입하여 열심히 공부했습니다. 또한 비행과 항해에 대한 열정을 공유한 또 다른 해군 장교 가구 쿠티뉴(Gago Coutinho)와 친구가 되었습니다.

1916년 사카두라 카브랄은 포르투갈로 돌아와 새로 창설된 군사 항공 학교에 교관으로 참여했습니다. 그는 포르투갈 최초의 조종사 중 한 명이 되었고, 곧 다양한 임무에서 자신의 기술과 용기를 증명했습니다. 하지만 사카두라 카브랄은 자신의 업적에 만족하지 않았습니다. 그는 포르투갈을 항공 역사의 지도에 올려놓을 수 있는 더 큰 일을 하고 싶었습니다. 그는 리스본에서 브라질의 수도인 리우데자네이루까지 남대서양을 횡단하고 싶었습니다. 이 도시는 과거 포르투갈 식민지였습니다. 위험하고 야심찬 프로젝트라는 것을 알았지만 반드시 해내겠다고 결심했습니다.

그는 가구 쿠티뉴에게 항해사로 함께 할 것을 설득했고, 둘은 함께 비행을 계획했습니다. 고대 포르투갈의 이름을 따 루지타니아라고 이름 붙인 페어레이 III 수상 비행기를 선택했습니다. 가구 쿠티뉴가 고안한 특수 육분의를 장착하여 지평선과 별을 이용하여 위치를 파악할 수 있도록 했습니다.

그들은 1922년 3월 30일 리스본에서 출발하여 아프리카 해안을 따라 남쪽으로 향했습니다. 도중에 연료를 보충하고 휴식을 취하기 위해 여러 차례 멈출 계획이었습니다. 악천후, 엔진 고장, 상어 공격 등 많은 어려움과 위험에 직면했습니다. 또한 적절한 착륙 장소의 부족과 일부 지역 당국의 적대감에도 대처해야 했습니다. 사고와 손상으로 인해 비행기를 여러 차례 교체해야 했습니다. 심지어 비행기가 바다에 가라앉은 후에는 영국 선박에 구조되기도 했습니다.

하지만 그들은 절대 포기하지 않았고, 79일간의 비행과 17,000km를 날아 1922년 6월 17일 마침내 리우데자네이루에 도착했습니다. 그들은 환호하는 수많은 인파의 환영을 받으며 영웅으로 맞이했습니다. 그들은 역사를 만들었고 포르투갈 비행사의 용기와 기술을 전 세계에 보여주었습니다.

사카두라 카브랄은 국민적 영웅이 되었고 많은 상과 훈장을 받았습니다. 또한 브라질, 아르헨티나, 우루과이 등 다른 나라에서도 비행 초청을 받았습니다. 그는 항공에 대한 열정을 계속 추구하며 자신의 모범으로 다른 사람들에게 영감을 주었습니다.

하지만 그의 삶은 비극적인 사고로 짧게 마감되었습니다. 1924년 11월 15일, 항공 컨퍼런스에 참석하기 위해 런던으로 가려고 영국 해협 상공을 비행하던 중이었습니다. 주제 코레이아라는 정비사와 함께였습니다. 날씨는 안개가 자욱했고 시야가 좋지 않았습니다. 지상과의 연락이 끊겼고 그의 비행기는 바다에 추락했습니다. 그의 시신은 끝내 발견되지 않았습니다.

사카두라 카브랄은 43세의 나이로 사망했지만 그의 유산은 계속 살아 있습니다. 그는 역사상 가장 위대한 비행사 중 한 명이자 남대서양 횡단의 선구자로 기억되고 있습니다. 또한 모험 정신, 유머 감각, 조국에 대한 사랑으로도 존경받고 있습니다. 그는 포르투갈 국민과 꿈을 따르는 모든 이들에게 자부심과 영감의 원천입니다.

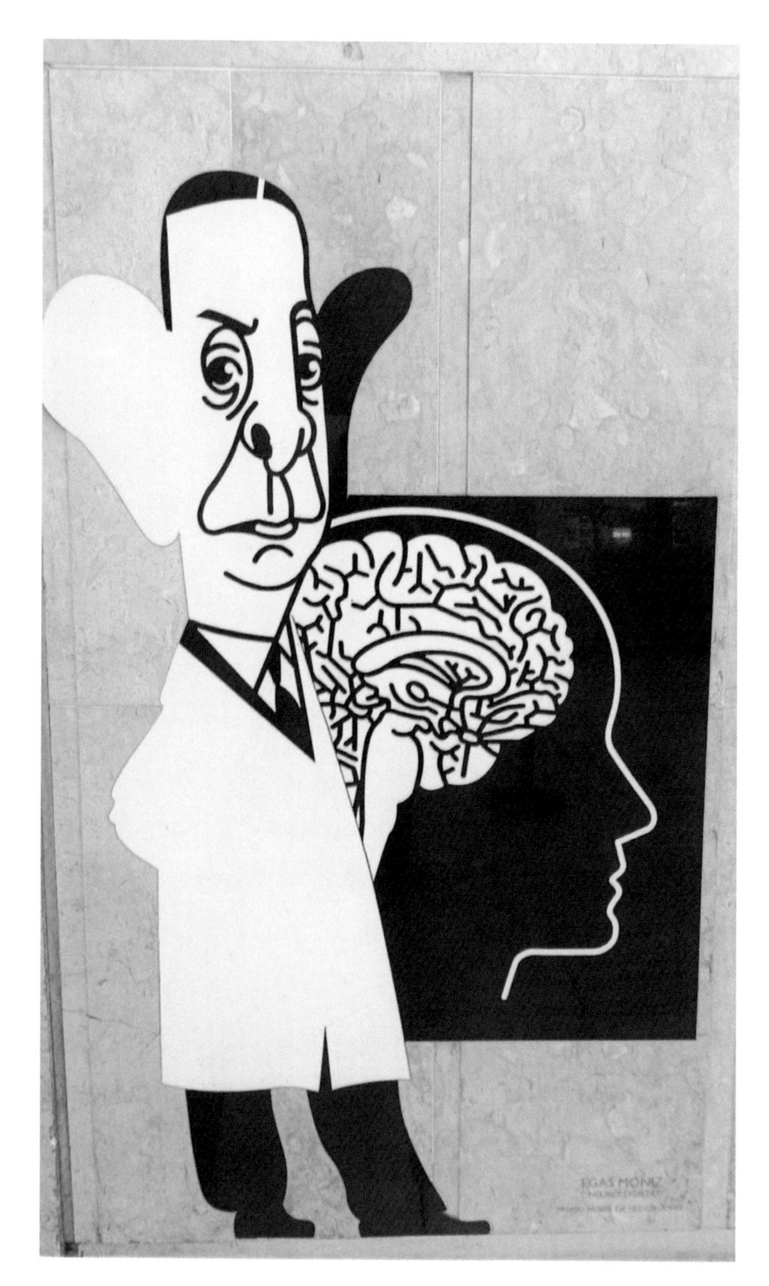
EGAS MONIZ

에가스 모니스
(1874 - 1955)

안토니우 에가스 모니스(António Egas Moniz)는 1874년 포르투갈의 한 작은 마을에서 부유한 대지주 아버지와 독실한 가톨릭 신자 어머니 사이에서 태어났습니다. 그의 친삼촌이자 대부는 그의 집안이 포르투갈 건국왕 아폰수 엔히크의 스승인 에가스 모니스의 직계후손이라고 확신했기 때문에 그의 성을 에가스 모니스로 강력 추천했습니다. 호기심 많고 불안한 마음을 타고난 그는 코임브라 대학교에서 의학을 전공하게 되었습니다.

그는 1899년에 졸업하고 1911년 리스본에서 신경학 교수가 되었으며, 그곳에서 뇌혈관조영술 분야의 선구자로 자리 잡았습니다. 뇌혈관조영술은 X선을 이용하여 뇌의 혈관을 시각화하는 기술입니다. 그는 이 방법을 사용하여 뇌종양, 동맥류 등의 질환을 진단한 최초의 인물로, 이에 대한 여러 권의 책과 논문을 발표했습니다. 또한 성적 생리학, 최면술, 문학 비평 연구에도 중요한 기여를 했습니다.

하지만 모니스는 과학자에 만족하지 않았습니다. 그는 1900년 국회의원에 선출되면서 정치경력을 시작했으며, 중도공화당의 창립자(Partido Republicano Centrista)로 시도니우 파이스(Sidónio Pais) 대통령 집권 시절 스페인 마드리드 대사와 외무부 장관을 역임했습니다. 1918년 파리 평화 회의에서는 포르투갈 대표단의 의장을 맡아 포르투갈의 아프리카 식민지에 대한 주권을 인정받는 데 기여했습니다.

하지만 모니스의 가장 논란이 많은 업적은 1935년에 이루어졌습니다. 전두엽과 나머지 뇌 사이의 연결을 끊는 수술인 전두엽 백질 절제술을 최초로 시행한 것입니다. 그는 이 수술이 정신분열증, 우울증, 불안증 등의 특정 정신 질환을 환자의 감정적 고통과 동요를 덜어줌으로써 치료할 수 있다고 주장했습니다. 그는 일부 동물이 유사한 수술 후 더 온순하고 다루기 쉬워지는 것을 관찰한 것에 착안하여 이 아이디어를 생각해냈습니다. 또한 전두엽이 손상되어 폭력적이고 공격적이던 성격이 차분하고 쾌활하게 변한 한 군인의 사례를 언급하기도 했습니다.

모니스는 심한 불안, 편집증, 환각 증상을 앓고 있던 63세 여성에게 최초로 전두엽 절제술을 시행했습니다. 두개골에 구멍을 두 개 뚫고 얇은 와이어 루프를 삽입하여 전두엽의 신경 섬유를 절단하는 데 사용했습니다. 반대편 뇌에도 같은 수술을 반복한 후 상처를 봉합했습니다. 수술 후 여성의 증상이 크게 개선되었고 일상생활로 복귀할 수 있었다고 보고했습니다. 이후 19명의 환자에게 같은 수술을 시행했고 성공도는 다양했습니다.

그러나 모니스의 전두엽 절제술은 위험과 합병증이 없지 않았습니다. 일부 환자는 사망하거나 감염, 출혈, 발작을 일으켰습니다. 다른 환자들은 성격 변화, 기억 상실, 무관심, 인지 장애를 경험했습니다. 일부는 더 폭력적이거나 자살적이 되거나 새로운 정신과적 문제가 발생했습니다. 또한 이 수술이 종종 환자나 그 가족의 동의나 인지 없이 수행되거나 사회적 통제나 처벌의 수단으로 사용되었기 때문에 문제가 되었습니다.

모니스는 가망이 없는 환자를 위한 마지막 수단으로 전두엽 절제술을 옹호했으며, 환자들을 정신병원이나 감옥에서 고통받게 하는 것보다 낫다고 주장했습니다. 또한 인도주의적이고 과학적인 이유로 동기를 부여받았으며 명성이나 부를 추구하지 않았다고 주장했습니다. 1949년 스위스의 생리학자로 뇌의 다양한 부위를 자극하는 효과를 연구한 발터 헤스와 함께 노벨 생리의학상을 공동 수상했는데, 이때 받은 상금은 신경학 연구와 교육을 지원하는 재단에 기부했습니다. 또한 1944년 은퇴할 때까지 교수이자 임상의로 계속 활동했습니다.

모니스는 1955년 81세의 나이로 급성 빈혈로 사망했습니다. 그의 고향 아방카(Avanca)에 동상과 박물관이 그를 기리고 있습니다. 그는 의학 및 신경과학 역사상 가장 영향력 있고 논란이 많은 인물 중 하나로 평가되며 그의 유산은 여전히 논쟁과 논란의 대상입니다. 일부는 정신 질환에 대한 이해와 치료를 발전시키고 많은 생명을 구하고 많은 고통을 덜어준 천재이자 선구자로 칭송합니다. 다른 사람들은 수천 명의 사람들을 불구로 만들고 해쳤으며 그들의 존엄성과 인권을 침해한 도살자이자 돌팔이라고 비난합니다.

안토니우 세르지우 (1883 - 1969)

안토니우 세르지우(António Sérgio)는 1883년 9월 3일 인도에 있는 포르투갈 식민지 다망(Damão)에서 태어났습니다. 그는 여러 해외 영토의 총독을 역임한 군 장교의 외아들이었습니다. 그의 어머니는 아일랜드 혈통이었습니다. 그는 어린 시절을 아프리카와 아시아에서 보내며 국제적인 시각과 다양한 문화에 대한 호기심을 키웠습니다.

가족의 전통에 따라 군사학교에서, 그리고 해군사관학교에서 공부하기 위해 리스본으로 이사했습니다. 그는 해군 장교가 되어 카부 베르드(Cabo Verde)와 마카오를 여행했습니다. 그러나 그는 곧 자신의 진정한 열정은 군사가 아니라 시와 철학에 있다는 것을 깨달았습니다. 그는 스피노자와 포르투갈의 시인이자 사상가인 안테루 드 퀜탈(Antero de Quental)의 작품에 영향을 받았습니다. 1910년 공화국 선포 후 폐위된 왕에게 충성을 맹세했던 터라 해군을 떠났습니다.

그는 동료 지식인인 루이사 에피파누 다 실바와 결혼하여 긴밀한 파트너십을 유지했습니다. 그들은 리우데자네이루로 이주하여 저널리스트이자 교사로 일했습니다. 또한 그의 첫 번째 저서인 시집과 안테루 드 켄탈에 대한 철학 에세이집을 출간했습니다. 1912년 포르투갈로 돌아와 리스본 대학교 철학 교수직에 지원했지만 선발되지 않았습니다. 그 후 진보 교육 운동의 선두 주자인 장 자크 루소 연구소가 있는 제네바에서 추가 연구를 하기로 결정했습니다.

제1차 세계 대전이 한창이던 1916년 포르투갈로 돌아와 포르투갈의 정치 및 문화 생활에 참여했습니다. 또한 사회 개혁과 의회 민주주의를 옹호하는 온건한 공화주의 파벌인 민주당에 가입했습니다. 1923년 알바루 드 카스트루(Álvaro de Castro) 정부에서 교육부 장관으로 임명되었지만 두 달 열흘 만에 사임할 수 밖에 없었습니다. 실험 학교 설립, 성인 교육 증진, 교사의 권리 인정 등 자신의 교육적 아이디어 중 일부를 구현하려고 노력했지만, 1924년 쿠데타를 일으킨 보수주의자와 성직자, 군부의 강력한 반대에 직면했기 때문입니다.

그는 역사, 사회학, 경제학, 정치학, 문화 등 다양한 주제를 다루며 글을 쓰고 활발하게 출판을 이어갔습니다. 포르투갈의 현실에 대해 비판적이고 독창적인 시각을 발전시키며, 국가를 괴롭히던 후진성, 무지, 불평등을 규탄했습니다. 또한 협동조합의 발전, 문화의 민주화, 과학 및 기술 교육의 증진 등 그의 인본주의적이고 합리주의적인 원칙에 기반한 해결책을 제시하기도 했습니다. 그는 동료와 제자들, 예를 들어 라울 리누, 바라오나 페르난데스, 루이 그라시오, 마리오 수아레스 등 많은 사람들에게 존경받는 당대 가장 영향력 있는 지식인 중 한 명이었습니다.

1926년부터 1974년까지 포르투갈을 지배한 권위주의 정권에 대한 확고한 반대자이기도 했습니다. 1926년과 1933년 사이 고메스 다 코스타와 카르모나의 군사 독재정권 이후 망명 생활을 했습니다. 1933년 살라자르에 의한 에스타두 노부 정권 수립 이후 민주적 반대의 공간을 찾기를 희망하며 포르투갈로 돌아왔습니다. 1935년, 1948년, 1958년에 다양한 반파시스트 운동과 활동에 참여했다는 이유로 여러 차례 체포되었습니다. 또한 검열, 괴롭힘, 고립에 시달리기도 했습니다. 하지만 그는 결코 자신의 이상을 포기하지 않았고, 독재가 절망적으로 보일 때조차 독재에 맞서 글을 쓰고 연설을 계속했습니다. 1973년 포르투갈 사회주의당(Portuguese Socialist Party)의 창당 멤버 중 한 명이었으며, 1958년 움베르토 델가도(Humberto da Silva Delgado)의 대통령 후보 지명을 지지했지만, 그가 정치 경찰(PIDE)에 의해 암살당하자 큰 좌절감을 겪게 됩니다.

1969년 1월 24일 85세의 나이로 리스본에서 사망했습니다. 델가도 암살로 인한 상실감과 75세였던 1958년 투옥생활로 몸이 상한 것이 가장 큰 이유였습니다. 포르투갈에 민주주의를 회복시키고 아프리카 식민지 전쟁을 종식시킨 1974년 카네이션 혁명을 보지 못하고 세상을 떠났습니다. 그는 오늘날에도 여전히 관련성이 있고 영감을 주는 방대한 양의 저서, 에세이, 기사, 연설을 남겼습니다. 그는 사상가이자 행동가, 교육자이자 정치가, 철학자이자 역사가, 시인이자 저널리스트였습니다. 무엇보다도 지식의 추구와 자유의 수호에 평생을 바친 인본주의자이자 민주주의자였습니다.

아킬리누 히베이루
(1885 - 1963)

아킬리누 히베이루(Aquilino Ribeiro)는 포르투갈 북부 베이라 알타 지방의 작은 마을에서 태어났습니다. 그의 아버지는 어머니와 비밀리에 내연 관계를 맺은 성직자였고, 아킬리누는 이 부적절한 결합의 결과로 태어났으며, 서출인 세 명의 형제도 함께 자랐습니다.

그의 어머니는 그를 성직자로 만들고 싶어했지만 그에게는 다른 계획이 있었습니다. 신학교에서 신부와 크게 싸운 후 추방되었고, 2년 후 리스본으로 떠났습니다. 문학, 역사, 정치에 매료되었고 곧 왕정에 반대하는 공화주의 운동에 참여하게 되었습니다. 1908년 카를로스 1세와 그의 아들을 암살하려는 음모에 가담했지만 실제로 총을 쏘지는 않았습니다. 나중에 자신의 저서 '작가의 고백(Um escritor confessa-se)'에서 국왕 시해 사건에 대한 자신의 역할을 고백했습니다.

그는 소르본 대학에서 공부하고 프랑스 수도의 문화 예술계와 친분을 쌓은 파리로 망명했습니다. 또한 독일어를 배우고 독일인 간호사인 그레테 티데만(Grete Tiedemann)과 만났습니다. 그들은 1913년에 결혼하여 1914년에 아들 아니발을 낳았습니다.

제1차 세계 대전이 발발한 1915년 포르투갈로 돌아왔습니다. 중등 교사 자격을 취득해서 명문 중등교육기관인 Liceu Camões에서 3년 동안 교사로 재직했습니다.

저널리스트이자 다작의 작가가 되어 소설, 단편 소설, 에세이, 여행기를 출간했습니다. 20세기 포르투갈 문학에서 가장 영향력 있고 독창적인 목소리 중 하나였습니다. 포르투갈의 정체성, 시골 문화, 역사적 과거, 사회 문제, 인간의 조건 등의 주제를 탐구했습니다. 또한 자연 세계에 대한 예리한 관찰자이자 과학을 사랑하는 사람이었습니다. 그는 아이러니, 유머, 시적 이미지로 가득한 재치 있고 우아한 문체로 글을 썼으며, 비평가와 독자 모두에게 존경받았으며 1960년 노벨 문학상 후보에 오르기도 했습니다.

1929년 전 포르투갈 대통령 베르나르디누 마샤두(Bernardino Machado)의 딸인 제로니마 단타스 마샤두와 두 번째로 결혼했습니다. 그의 둘째 아들 아킬리누 리베이루 마샤두는 1970년대 후반 리스본 시장이 되었습니다.

그는 또한 정치 활동가이자 1932년부터 1968년까지 포르투갈을 통치한 안토니우 드 올리베이라 살라자르의 독재에 대한 확고한 반대자였습니다. 그는 전복적인 글을 썼다는 이유로 여러 차례 체포되었고, 그의 책 중 일부는 정권에 의해 금지되거나 검열당했습니다. 또한 포르투갈의 아프리카와 아시아 식민지의 독립 운동을 지지했습니다. 표현의 자유와 민주주의 가치를 옹호한 포르투갈 작가 협회의 창립 멤버이기도 했습니다.

1963년 77세의 나이로 리스본에서 사망했습니다. 그의 유해는 프라제레스에 묻혀있었지만 007년 국회에서 만장일치로 국립판테온 이장을 결정했습니다. 1908년 국왕 시해 사건 연루자인 그를 국립판테온에 안장하는 것에 반대하는 여론이 있었지만 예정대로 진행되었습니다. 그는 오늘날에도 여전히 널리 읽히고 평가받는 풍부하고 다양한 문학적 유산을 남겼습니다. 그는 역대 최고의 포르투갈 소설가 중 한 명이자 포르투갈어의 대가로 평가받고 있습니다.

ANTONIO SILVA
ATOR

안토니우 실바 (1886 - 1971)

안토니우 실바(António Silva)는 1886년 어느 여름날 리스본 중심가의 자스민 거리에 있는 소박한 집에서 태어났습니다. 그는 도금장인과 가정용품 편집자의 아들로, 둘 다 서민 출신이었습니다. 12살에 아버지를 여의었기에 일찍부터 일을 시작해야 했는데 잡화점을 시작으로 나중에는 약국에서 일했습니다.

어린 시절부터 안토니우는 사람들을 웃게 만드는 재능을 보였습니다. 그는 장난을 좋아하고 농담을 즐겨하는 활기차고 장난기 많은 소년이었습니다. 또한 연극에 대한 열정이 있어 여러 아마추어 그룹에 가입하여 연기의 기초를 배웠습니다. 24세였던 1910년 톨스토이의 연극 '새로운 그리스도(O Cristo Moderno)'로 프로 무대에 데뷔했으며, 관객들에게 그의 코믹한 기술과 표정 연기로 깊은 인상을 남겼습니다.

1913년, 그는 새로운 기회를 찾아 브라질을 순회하는 한 극단에 입단했습니다. 그곳에서 그는 아름답고 재능 있는 여배우 조세피나 바르쿠(Josefina Barco)를 만나 1920년에 결혼했습니다. 조세피나는 이미 다른 남자와 결혼한 상태였기 때문에 그들의 로맨스는 당시 큰 스캔들이 되었습니다. 안토니우 역시 브라질에서 세 편의 무성 영화에 출연하며 다재다능함과 카리스마를 선보였습니다.

1921년 포르투갈로 돌아와 사타넬라 아마란트 극단(Companhia satanella-Amarante)에 입단했고, 그곳에서 인기 있고 존경받는 코미디언이 되었습니다. 그는 재치와 매력을 선보이며 많은 가벼운 연극과 레뷰(Revue)에서 공연했습니다. 또한 감독과 제작에도 도전하여 당대 최고의 작가 및 배우들과 협업하기도 했습니다. 동료들의 존경을 받았고 대중의 사랑을 받았습니다.

하지만 안토니우 실바가 명성과 영광의 정점에 오른 것은 영화를 통해서였습니다. 그는 1930년대와 1940년대 포르투갈 영화의 황금기에 대부분의 작품을 포함하여 40편이 넘는 영화에 출연했습니다. 그는 드라마부터 코미디, 역사물부터 현대물, 도시부터 농촌에 이르기까지 다양한 역할을 소화했습니다. 귀족, 농민, 교수, 이발사, 세일즈맨, 축구 팬 등 어떤 역할이든 설득력 있게 연기했습니다. 그는 독특한 몸짓, 억양, 캐치프레이즈로 기억에 남는 캐릭터를 만들어내는 특별한 능력이 있었습니다. 그는 타이밍, 아이러니, 풍자의 대가였습니다. 그는 사람들을 웃게 하고 울게 하고 생각하게 만들었습니다. 그는 포르투갈 영화의 썬더볼트 키드였습니다.

그의 대표작으로는 1933년작 '리스본의 노래(A Canção de Lisboa)', 1935년작 '학장의 제자들(As Pupilas do Senhor Retor)', 1942년작 '노래의 안뜰(O Pátio das Cantigas)', 1943년작 '성채의 해안(O Costa do

Castelo)', 1943년작 '파멸의 사랑(Amor de Perdição)', 1946년작 '카몽이스(Camões)', 1947년작 '별의 사자(O Leão da Estrela)', 1948년작 '파두(Fado, História d'Uma Cantadeira)' 등이 있습니다. 그는 코티니엘리텔모, 레이탕 드 바호스, 안토니우 로페스 리베이루, 페르디가웅 케이로가 등 당대 최고의 감독들과 작업했으며, 바스코 산타나, 베아트리스 코스타, 마리아 마토스, 마리아 다스 네베스, 리베이리누, 밀루 등 같은 세대 최고의 배우들과 함께 스크린을 빛냈습니다.

안토니우 실바는 위대한 배우였을 뿐만 아니라 관대하고 겸손한 사람이었습니다. 그는 항상 동료와 친구들을 돕고 자선 활동을 지원할 준비가 되어 있었습니다. 그는 네 자녀의 헌신적인 남편이자 아버지였습니다. 또한 리스본 시민으로서 자부심이 강했고 열정적인 소방관이기도 했습니다. 50년 이상 자원 소방관으로 활동하며 사령관 직위까지 올랐으며, 그의 용기와 헌신으로 여러 명예와 상을 수상했습니다.

안토니우 실바는 1971년 3월 3일 84세의 나이로 리스본에서 사망했습니다. 그는 웃음과 즐거움의 유산을 남겼고, 수백만 포르투갈인의 가슴 속에 자리 잡았습니다. 프라제레스 묘지에 있는 그의 묘비에는 "여기 포르투갈을 웃게 만든 배우 안토니우 실바가 잠들다"라고 새겨져 있습니다.

아마데우 드 소우자 카르도주 (1887 - 1918)

아마데우 드 소우자 카르도주(Amadeo de Souza-Cardoso)는 1887년 11월 14일 포르투갈 북부의 작은 마을 만후페에서 태어났습니다. 그는 대지주이자 와인 생산자인 부유하고 독실한 기독교 가정의 9남매 중 막내였습니다. 아버지 주제 에미지디오 드 소우자 카르도주는 그가 실용적인 직업을 갖기를 원했지만, 아마데우는 예술에 대한 열정을 가지고 있었습니다.

어린 시절부터 그림 그리기와 특히 캐리커처에 재능을 보였습니다. 또한 호기심 많고 모험적인 정신을 가지고 있어 자신의 시골 주변 환경 너머의 세상을 탐험하고자 했습니다. 그는 아마란트 국립 리세에서 공부했고 나중에 코임브라에서 시인 테이세이라 드 파스쿠아이스와 화가 프란시스쿠 스미스와 같은 평생의 친구들을 만났습니다.

1905년, 그는 미술 아카데미에 입학하기 위해 리스본으로 이주했지만 곧 아카데믹한 교육이 자신의 취향에 너무 엄격하고 보수적이라는 것을 깨달았습니다. 그는 당시 유럽 문화의 중심지였던 파리에서 예술 교육을 받기로 결심했습니다. 1906년 19세 생일에 파리에 도착하여 몽파르나스의 보헤미안 지역에 정착했고, 그곳에서 다른 많은 예술가들과 지식인들을 만났습니다.

그는 보자르 아카데미와 비티 아카데미 등 여러 미술 학교에 등록했지만, 파리에서 부상하고 있던 큐비즘, 미래주의, 표현주의와 같은 아방가르드 운동에서 배우는 것에 더 관심이 있었습니다. 피카소, 브라크, 마티스, 모딜리아니 등의 작품에 매료되어 기하학적 형태, 선명한 색상, 역동적인 구성, 상징적 요소를 결합한 자신만의 스타일을 발전시켰습니다. 또한 유화, 수채화, 콜라주, 판화 등 다양한 매체를 실험하기도 했습니다.

살롱 데 엥데팡당, 살롱 도톤, 베르테 웨일 갤러리 등 여러 살롱과 갤러리에서 작품을 전시했습니다. 또한 1913년 뉴욕의 아모리 쇼와 1913년 베를린의 에르스테 도이체 헤버스살롱과 같은 당시 가장 중요한 단체 전시회에도 참여했습니다. 비평가들과 동료들로부터 호평을 받았으며, 자신의 세대에서 가장 독창적이고 혁신적인 예술가 중 한 명으로 평가받았습니다.

1912년 장티푸스 열병으로 입원했을 때 만난 프랑스인 간호사 루시 메이나디에르와 결혼했습니다. 1916년에 태어난 아들 주제가 있습니다. 제1차 세계대전이 발발하자 1914년까지 파리에서 살다가 포르투갈로 돌아왔습니다. 만후페에 정착한 아마데우는 그림과 글쓰기를 계속하면서도 조국의 사회 문화 생활에도 참여하게 되었습니다. 전시회를 조직하고 강연을 했으며 젊은 예술가들을 지원하고 공화당에 가입했습니다. 또한 알마다 네그레이루스(Almada Negreiros), 페르난두 페소아(Fernando Pessoa), 산타 리타 핀토르(Santa-Rita Pintor)와 같은 포르투갈 모더니즘 운동의 주요 인물들과 친구가 되었습니다.

전쟁 후 파리로 돌아갈 계획이었지만 운명은 그에게 다른 계획을 가지고 있었습니다. 1918년 전 세계를 휩쓸었던 치명적인 전염병인 스페인 독감에 감염되어 1918년 10월 25일 30세의 나이로 사망했습니다. 그의 묘비에는 "여기 그 시대의 가장 위대한 포르투갈 화가였던 아마데우 드 소우자 카르도주가 잠들다"라는 문구가 새겨져 있으며 아마란트의 묘지에 묻혔습니다.

그의 죽음은 예술계에 비극적인 손실이었고 그의 작품은 대중과 비평가들에게 곧 잊혀졌습니다. 20세기 후반에 이르러서야 가족, 친구, 숭배자들의 노력 덕분에 그의 유산이 재발견되고 진가를 인정받게 되었습니다. 그는 이제 포르투갈 모더니즘의 선구자이자 20세기 초 가장 빛나는 예술가 중 한 명으로 인정받고 있습니다. 그의 작품은 런던의 테이트 모던, 파리의 퐁피두 센터, 뉴욕의 현대미술관, 리스본의 칼루스트 굴벤키안 재단 등 전 세계에서 가장 권위 있는 박물관과 컬렉션에서 전시되고 있습니다.

아마데우 드 소우자 카르도주는 다재다능한 사람이었으며, 쉼 없이 창의적인 정신을 가진 선구자이자 반항아, 삶과 예술을 사랑한 사람이었습니다. 그는 치열하게 살았고, 오늘날에도 여전히 영감을 주고 도전을 주는 놀라운 작품을 남겼습니다. 그의 친구 테이세이라 드 파스쿠아이스(Teixeira de Pascoaes)가 말했듯이 "젊은 나이에 죽은 태양"이었습니다.

스튜어트 카르발라이스 (1887 - 1961)

스튜어트 카르발라이스(Stuart Carvalhais)는 1887년 3월 7일 포르투갈 빌라 헤알(Vila Real)에서 포르투갈인 아버지와 스코틀랜드-영국인 어머니 사이에서 태어났습니다. 그는 어린 시절의 일부를 스페인에서 보내며 그림 그리기와 그림에 대한 사랑을 키웠습니다. 1891년 포르투갈로 돌아와 리스본 왕립 인스티투토에 입학하여 예술적 재능을 선보였습니다. 1903년 학교를 중퇴하고 조르즈 콜라수(Jorge Colaço)의 아틀리에에서 타일 화가로 일하며 포르투갈 전통 세라믹 예술인 아줄레주 기법을 배웠습니다.

1906년에는 신문 'O Século'에 첫 그림을 발표했고 곧 다양한 출판물에 인기 있는 일러스트레이터이자 캐리커처 작가로 이름을 알렸습니다. 또한 당시 포르투갈에서는 생소했던 만화를 그리기 시작했습니다. 그의 가장 유명한 작품은 1915년부터 1953년까지 연재된 두 친구가 온갖 문제에 휘말리는 모습을 그린 유머러스한 시리즈 '킴과 마네카스(Quim e Manecas)'입니다. 이 시리즈는 1916년 스튜어트 본인이 마네카스의 아버지 역할로 출연한 영화로 각색되기도 했습니다. '킴과 마네카스'는 포르투갈 최초의 만화영화이자 포르투갈 최초의 코미디 영화로 여겨집니다.

스튜어트는 알마다 네그레이루스(Almada Negreiros), 조르즈 바하다스(Jorge Barradas), 에메리쿠 누네스(Emmerico Nunes) 등 다른 예술가들과 함께 포르투갈 모더니즘의 선구자이기도 했습니다. 1912년과 1913년 풍자적이고 아방가르드한 예술 전시회를 개최한 포르투갈 유머 작가 협회 창립 멤버였습니다. 또한 1912년과 1913년에는 파리를 여행하며 코로, 쇠라, 도미에의 작품을 접했습니다. 그는 사실주의, 표현주의, 추상주의를 결합한 개인적인 스타일을 발전시켰으며 다양한 재료와 기법을 사용했습니다. 풍경, 초상화, 정물화, 일상 생활 장면을 주로 유머러스한 방식으로 그렸습니다. 또한 사진, 콜라주, 애니메이션 실험도 했습니다.

1914년 생선 장수 파우스타 모레이아와 결혼하여 1915년에 아들 하울을 낳았습니다. 보헤미안적이고 불안정한 삶을 살며 이곳 저곳을 전전하며 알코올 중독과 재정난에 시달렸습니다. 종종 자신의 작품을 음식, 와인, 담배, 의약품과 교환하기도 했습니다. 1948년 아내가 사망한 후에는 특히 우울증과 외로움에 시달렸습니다. 그는 마지막 날까지 수천 점의 드로잉, 회화, 만화를 그리며 작업을 계속했는데, 이 중 상당수는 흩어져 있거나 분실되었습니다. 1961년 3월 12일 74세의 나이로 리스본에서 사망했습니다.

스튜어트 카르발라이스는 다작의 다재다능한 예술가로 포르투갈 문화에 지워지지 않는 흔적을 남겼습니다. 그의 유머감각, 독창성, 인간성은 많은 이들의 존경을 받았습니다. 날카로운 눈과 재치 있는 펜으로 자신의 시대와 조국의 본질을 포착했습니다. 그의 친구이자 전기 작가인 주제 아우구스투 프란사(José-Augusto França)의 말처럼 "모든 포르투갈 예술가 중 가장 포르투갈적인" 예술가였습니다.

FERNANDO PESSOA

페르난두 페소아 (1888 - 1935)

페르난두 페소아(Fernando Pessoa)는 1888년 6월 13일 포르투갈 리스본에서 태어났습니다. 그는 언론인 아버지와 가정주부 어머니 사이에서 태어났으며 형제자매가 있었습니다. 다섯 살 때 아버지가 결핵으로 사망했고 얼마 후 어머니는 포르투갈 영사와 재혼했습니다. 1896년 페소아와 그의 가족은 남아프리카공화국 더반으로 이주하여 그곳에서 영어 교육을 받고 영어에 능통하게 되었습니다. 또한 시와 문학에 대한 열정을 키웠고 영어로 첫 시를 썼습니다.

페소아는 1905년 리스본으로 돌아와 리스본 대학에서 공부할 계획이었지만 곧 중퇴하고 프리랜서 작가, 번역가, 출판업자로 경력을 쌓았습니다. 또한 리스본의 문화 및 문학계에 참여하여 다양한 잡지와 저널, 특히 포르투갈 모더니즘 운동의 기관지였던 오르페우(Orpheu)에 기고했습니다.

페소아는 다작의 작가였을 뿐만 아니라 놀라운 혁신가였습니다.

그는 자신이 '이명(異名)'이라고 부른 대체 인격을 만들어 각각의 이름, 전기, 문체, 세계관을 부여했습니다. 이 다른 이름으로 시, 에세이, 비평을 썼으며 때로는 서로의 작품에 대해 논평하기도 했습니다. 가명이 아니라 자신의 복잡한 자아의 다른 측면을 표현하는 독립적인 지적 삶으로 여겼습니다. 70개 이상의 이명을 만들었으며 그 중 일부는 사후에 발견되었습니다.

그의 가장 유명한 이명 중에는 자연의 창조 과정을 찬양한 단순하고 자연주의적인 시인 알베르투 카에이루(Alberto Caeiro), 월트 휘트먼과 미래주의에 영향을 받은 코스모폴리탄이자 불안한 시인 알바루 드 캄포스(Álvaro de Campos), 고대 그리스와 로마를 존경한 고전적이고 금욕적인 시인 히카르두 헤이스(Ricardo Reis), 삶, 예술, 고독에 대한 조각과 성찰을 담은 '불안의 서'을 쓴 멜랑콜리하고 내성적인 시인 베르나르두 수아레스(Bernardo Soares)가 있습니다.

페소아는 또한 자신의 이름으로 시를 썼는데, 대부분 포르투갈어로 썼지만 영어와 프랑스어로도 썼습니다. 포르투갈어로 쓴 가장 유명한 작품은 포르투갈과 그 국민의 역사와 운명을 탐구한 시집 '멘사젱(Mensagem)'입니다. 그의 사망 1년 전인 1934년에 출판되었으며 생전에 출간된 유일한 시집입니다.

페소아는 1935년 11월 30일 리스본에서 간경변으로 사망했습니다. 그의 나이는 47세였습니다. 사망 당시 프라제레스 묘지에 묻혔으나 1988년 탄생 100주년을 기념하여 제로니무스 수도원으로 이장되었습니다. 그는 자신과 이명들이 쓴 수천 편의 미발표 시, 에세이, 편지, 메모가 담긴 서류 가방을 남겼습니다. 그의 문학적 유산은 점차 비평가와 독자들에게 발견되고 평가받았으며 20세기 가장 위대하고 독창적인 시인이자 포르투갈어권 최고의 시인 중 한 명으로 인정받았습니다.

페소아의 삶과 작품은 예술적 우수성뿐만 아니라 심리적, 철학적 깊이로도 매력적이고 영감을 줍니다. 그는 여러 자아를 가진 사람으로 인간 존재의 수수께끼와 모순을 탐구하고 다양한 형태와 목소리로 표현했습니다. 그가 한때 말했듯이 "사람의 형태로 된 드라마"였습니다.

LUÍS DE FREITAS

루이스 드 프레이타스 브랑쿠 (1890 - 1955)

대부분의 사람들에게 유명한 포르투갈 작곡가를 물어보면 아마 대답을 못할 가능성이 높습니다. 사실 포르투갈은 클래식 음악 분야에서 음악적 업적으로 유명한 나라는 아닙니다. 물론 포르투갈이라는 국가의 영혼을 표현하는 멜랑콜리한 민속 음악 파두가 있지만, 교향곡과 오페라의 소재라고 하기는 어렵습니다. 그럼에도 불구하고 포르투갈은 음악적 유산을 가지고 있으며, 그 중 가장 대표적인 인물 중 한 명이 루이스 드 프레이타스 브랑쿠(Luís de Freitas Branco)입니다.

루이스 드 프레이타스 브랑쿠는 1890년 리스본의 귀족이자 지식인 가정에서 태어났습니다. 그의 아버지는 스포츠 기자였고 어머니는 홈 퍼니싱 편집자였으며 형 페드루는 지휘자였습니다. 루이스는 어린 시절부터 음악에 재능을 보여 피아노와 바이올린을 연주하는 법을 배웠고 인기를 얻은 곡을 작곡했습니다. 또한 문학, 철학, 정치에 큰 관심을 가지고 신문과 잡지에 정기적으로 기고했습니다.

17세에 음악가로서의 경력을 추구하기로 결심하고 베를린으로 떠나 작곡, 음악학, 역사를 공부했습니다. 바그너 오페라, 인상주의, 표현주의 등 유럽 음악의 최신 트렌드를 접했고 당시 대표적인 작곡가 중 몇몇인 엥겔베르트 훔퍼딩크와 막스 레거와 친구가 되었습니다. 또한 고대와 중세 음악, 특히 그레고리안 성가 및 르네상스 다성음악에 매료되었습니다.

1911년에는 파리로 이주하여 클로드 드뷔시를 만났고 그의 인상주의 스타일에 영향을 받았습니다. 또한 모리스 라벨, 이고르 스트라빈스키, 에릭 사티의 작품을 발견하고 선법 음계, 온음계 화성, 다조성 등 새로운 형식과 기법을 실험했습니다. 포르투갈의 시인이자 철학자인 안테루 드 켄탈(Antero de Quental, poema sinfónico), 로마의 침공에 저항한 루지타니아 전사 비리아투(Viriato, poema sinfónico) 등 문학적, 역사적 인물에 영감을 받아 여러 교향시를 작곡했습니다.

1915년 그는 포르투갈로 돌아와 리스본 음악원에서 작곡 교수가 되었습니다. 또한 포르투갈 왕정 복구와 포르투갈 정체성 보존을 주장한 왕당파이자 민족주의 단체인 루지타니아 통합주의 운동(Integralismo Lusitano)과 같은 다양한 문화 및 정치 운동에 참여했습니다. 알베르토 몬사라즈(Alberto Monsaraz), 안토니우 사르디냐(António Sardinha), 이폴리투 하포주(Hipólito Raposo), 벤투 드 제수스 카라사(Bento de Jesus Caraça), 안토니우 세르지우(António Sérgio) 등 포르투갈 문화계의 저명한 인물들과 친구였습니다.

그는 네 개의 교향곡, 두 개의 모음곡, 여러 실내악 및 성악 작품,

미완성 오페라 등 다작을 계속했습니다. 또한 음악 이론, 역사, 비평에 관한 수많은 책과 논문을 썼으며 포르투갈 초기 음악, 특히 작곡가이자 예술 후원자였던 주앙 4세의 작품에 대한 광범위한 연구를 수행했습니다. 20세기 포르투갈에서 가장 중요하고 영향력 있는 작곡가 중 한 명이자 포르투갈 모더니즘의 선구자로 널리 인정받았습니다.

음악치료사로 정신병원에서 근무하던 중 만난 간호사 에스텔라 디니즈 드 아빌라 이 소우자와 결혼했지만 자녀는 없었습니다. 프랑스계 여성 마리아 클라라 담베르트 필게이라스와의 사이에서 혼외 아들 주앙을 두었습니다. 그는 헌신적인 아버지이자 할아버지로 가족과 친구들과 함께 시간을 보내는 것을 즐겼습니다.

1955년 65세의 나이로 오랜 투병 끝에 리스본에서 사망했습니다. 프라제레스 묘지에 있는 그의 묘비에는 "음악을 무엇보다도 사랑한 루이스 드 프레이타스 브랑쿠 여기에 잠들다"라는 문구가 새겨져 있습니다. 그는 풍부하고 다양한 음악적 유산을 남겼으며, 이는 그의 열정, 호기심, 창의성을 반영하며 오늘날에도 청취자들에게 영감을 주고 기쁨을 선사합니다.

ALMADA NEGREIROS

알마다 네그레이루스 (1893 - 1970)

알마다 네그레이루스(Almada Negreiros)는 1893년 4월 7일 아프리카에 있는 포르투갈 식민지 상투메 프린시페에서 태어났습니다. 그의 아버지는 포르투갈 공무원이었고 어머니는 혼혈인 산토메인 여성이었습니다. 알마다는 세 자녀 중 막내로 열대 섬에서 행복한 어린 시절을 보냈습니다. 그는 일찍부터 그림과 글쓰기에 재능을 보였고 현지 문화와 민담에 매료되었습니다.

여섯 살 때 가족과 함께 리스본으로 이주하여 예수회 학교(Colégio Jesuíta de Campolide)에 다녔습니다. 엄격한 규율과 종교 교육을 좋아하지 않았고 책과 잡지, 특히 예술과 문학 관련 서적을 읽으며 시간을 보내는 것을 선호했습니다. 또한 연극과 영화에 대한 열정을 키웠고 연극과 영화를 보기 위해 수업을 자주 빼먹기도 했습니다. 오스카 와일드, 쥘 베른, H.G. 웰스, 에드거 앨런 포 등의 작품에 영향을 받았습니다.

1911년 시인 테이세이라 드 파스쿠아이스(Teixeira de Pascoaes)가 편집한 잡지 '독수리(A Águia)'에 첫 시를 발표했습니다. 또한 '세기(O Século)', '일루스트라옹 포르투게사', '카피탈' 등 다른 잡지와 신문과 협업을 시작하여 기사, 에세이, 리뷰를 썼습니다. 또한 만화, 캐리커처, 삽화를 그렸고 재기발랄하고 도발적인 스타일로 유명해졌습니다. 유럽에서 부상하고 있던 전위 운동인 미래주의, 입체파, 표현주의에 관심을 가졌고 이를 포르투갈에 도입하고자 했습니다.

1913년 첫 개인전을 열어 90점의 드로잉을 선보였습니다. 또한 부르주아 사회를 풍자한 첫 소설 '다리미(A Engomadeira)'를 썼습니다. 페르난두 페소아, 마리오 데 사 카르네이루 등 오르페우 그룹의 일원이었던 다른 시인들과 친구였습니다. 1915년 오르페우 매거진에 시와 텍스트를 발표하고 전통주의자이자 보수주의 작가인 주앙 단타스를 공격하는 'Anti-Dantas'라는 선언문을 작성했습니다. 또한 이집트 신화에서 영감을 받은 발레 '장미의 꿈(O Sonho da Rosa)'을 만들었습니다.

1916년 멘토이자 친구가 된 화가 산타 리타 핀토르(Santa-Rita Pintor)를 만났습니다. 함께 포르투갈 최초의 미래주의 컨퍼런스를 개최했고, 알마다는 비행복을 입고 20세기 포르투갈 사회와 문화에 도전하는 선언문인 '미래주의 최후통첩'을 읽었습니다. 또한 첫 번째 미래주의 전시회에 참가하여 회화, 조각, 포스터를 선보였습니다. 포르투갈 미래주의 운동의 리더로 여겨졌으며 대담하고 혁신적인 아이디어로 존경과 비판을 동시에 받았습니다.

1918년 그는 화가이자 산타 리타의 제자였던 사라 아폰수(Sarah Afonso)와 결혼했습니다. 그들은 행복한 결혼 생활을 하며 예술적 관심사와 프로젝트를 공유했습니다. 또한 주제와 안토니우 두 아들을 두었습니다.

1919년 파리로 여행을 떠나 1년간 머물렀습니다. 아폴리네르, 피카소, 콕토, 브르통 등 여러 예술가와 작가를 만났고 다다이즘과 초현실주의 등 최신 예술 트렌드를 접했습니다. 또한 코메디아 델라르테를 패러디한 연극 '피에로와 할리퀸(Pierrot e Arlequim)'을 쓰기도 했습니다.

1925년에는 리스본에서 가장 유명한 카페이자 자신이 자주 방문했던 아 브라질레이라(A Brasileira)를 위해 그림 2점을 그렸습니다(1969년 판매해서 현재는 없습니다). 1927년에는 마드리드로 이사해 6년간 살았습니다. 그는 스페인 문화의 활력과 창의성, 스페인 내전을 앞둔 정치적, 사회적 혼란에 깊은 인상을 받았습니다.

1933년 포르투갈로 돌아와 예술가로서의 경력에 집중하기로 결심했습니다. 다양한 기법과 재료를 사용하여 회화, 벽화, 모자이크, 태피스트리, 스테인드글라스를 제작했습니다. 그 시대 가장 다재다능하고 다작하는 예술가 중 한 명으로 평가받았으며 작품으로 여러 상과 명예를 받았습니다.

스페인 내전 당시 공화파를 지지했으며 포르투갈 살라자르 독재에 반대했습니다. 민주주의, 자유, 인권의 옹호자이자 포르투갈 문화와 정체성의 홍보자였습니다.

1970년 6월 15일 리스본에서 77세의 나이로 사망했습니다. 그가 사망한 병실은 1935년 포르투갈 시인 페르난두 페소아가 사망했던 같은 병실이었습니다.

Diário

파르달 몬테이루 (1897 - 1957)

포르피리오 파르달 몬테이루(Porfírio Pardal Monteiro)는 1897년 포르투갈 신트라 근처의 작은 마을에서 태어나 어린 시절을 바위와 성을 쌓는 꿈을 꾸며 보냈을 것입니다. 그는 석공 집안에서 태어나 나중에 성공한 건축업자가 된 가족 출신으로 건축에 대한 자연스러운 친화력을 가지고 있었습니다. 또한 그의 인생과 작품에 큰 도움이 된 날카로운 유머 감각도 가지고 있었습니다.

1904년 학교에 다니기 위해 리스본으로 이주했고 1910년에는 주제 루이스 몬테이루(José Luís Monteiro) 교수의 지도하에 건축을 공부하기 위해 리스본 미술 학교에 입학했습니다.

첫 직장은 교육부 산하 학교 건설 및 개축을 담당하는 부서인 학교건축부(Repartição das Construções Escolares)였습니다. 또한 이공계 학생들에게 건축을 가르치는 고등기술연구소의 조교로도 일했습니다. 1920년에는 국영 은행인 카이샤 헤랄 드 데포시토스(CGD)에 건축가로 입사했습니다. 그의 첫 대형 프로젝트이자 가장 인상적인 작품 중 하나인 포르투 지점을 포함하여 여러 은행 지점을 설계했습니다. 고전적인 외관과 아르데코 요소로 장식된 현대적인 내부를 갖춘 기념비적인 건물이었습니다. 또한 돈과 문서를 전송하는 공압 튜브 시스템과 석탄을 연료로 하는 중앙 난방 시스템과 같은 혁신적인 기능을 도입했습니다.

1925년에는 파리를 방문하여 디자인과 기술의 최신 트렌드를 선보인 세계 박람회인 '장식미술 및 현대산업미술 박람회'를 관람했습니다. 그는 단순함, 기능성, 기하학적 형태를 강조하는 모더니즘 스타일에 깊은 인상을 받았습니다. 또한 르 코르뷔지에, 로버트 말렛 스티븐스, 오귀스트 페레 등 당대를 대표하는 건축가들을 만났습니다. 새로운 비전을 가지고 포르투갈로 돌아온 그는 곧 포르투갈 현대 건축의 선구자 중 한 명이 되었습니다.

1919년 마리아 루이사 바스케스 콥케 코레이아 핀투와 결혼하여 마리아 루이사, 마누엘, 페드로, 주앙 네 자녀를 두었습니다. 리스본에 있는 넓은 아파트에 살았는데, 이곳을 자신이 직접 디자인한 가구와 친구들의 예술 작품으로 장식했습니다. 그는 사교적이고 관대한 사람으로 가족과 친구들을 위해 파티와 모임을 주최하는 것을 즐겼습니다. 또한 열렬한 독서가이자 음악 애호가였으며 우표와 동전 수집가였습니다. 호기심 많고 모험심이 강했으며 여행을 다니며 새로운 곳을 탐험하는 것을 좋아했습니다. 유럽, 아프리카, 아메리카의 여러 나라를 방문했으며 항상 기념품과 이야기를 가지고 돌아왔습니다.

그는 주택, 호텔부터 교회, 극장에 이르기까지 다양한 건물을 설계한 다작의 다재다능한 건축가였습니다. 또한 도시 계획에도 참여했으며 리스본시의 개선과 현대화를 위한 여러 프로젝트에 참여했습니다. 특히 시민들의 삶의 질과 문화를 향상시킬 공공 공간 조성에 관심이 많았습니다. 리스본의 대표적인 건물과 랜드마크 중 일부를 설계했는데, 그 중에는 도시와 해변 리조트를 연결하는 철도역인 '카이스 두 수드레 역(Cais do Sodré)', 파티마의 성모 마리아 발현을 기념하는 교회인 '파티마 성모 마리아 교회(Nossa Senhora do Rosário de Fátima)', 그가 설립을 도운 명문 공과대학인 'Instituto Superior Técnico', 1949년 유럽컵 결승전을 개최한 스포츠 단지인 'Estádio Nacional', 수백만 명의 방문객을 유치한 인기 놀이공원인 'Feira Popular' 등이 있습니다.

또한 여러 세대의 건축가와 엔지니어를 가르친 존경받는 영향력 있는 교수였습니다. 또한 예술과 문화를 인정하고 지원하는 권위 있는 기관인 국립미술원의 회원이자 회장이었습니다. 포르투갈에서 가장 권위 있는 건축상 중 하나인 발모상(Prémio Valmor)을 다섯 차례 수상하는 등 여러 상과 명예를 받았습니다. 또한 최고 훈장인 산타아구 다 에스파다 기사단 훈장과 리스본 대학교 명예 박사 학위를 받았습니다.

그는 1957년 60세의 나이로 오랜 투병 끝에 사망했습니다. 그는 건물뿐만 아니라 아이디어, 가치, 영감이라는 놀라운 유산을 남겼습니다. 그는 조국의 미래를 예견하고 형상화한 선각자였습니다. 사람들과 사회를 아꼈던 인문주의자였습니다. 아름다움과 조화를 창조한 예술가였습니다. 요컨대 세상을 더 나은 곳으로 만든 천재였습니다.

바스쿠 산타나 (1898 - 1958)

바스쿠 산타나(Vasco Santana)는 1898년 1월 28일 리스본의 아주 작은 집에서 태어났는데, 그 집은 너무 작아서 부모님, 형, 누나, 애완용 염소와 침대를 함께 써야 했습니다.

그의 아버지는 작가였고 어머니는 언론인이었지만 그다지 성공하거나 부유하지 않았습니다. 바스코는 가난한 동네에서 자라며 자신을 포함한 모든 것과 모든 사람을 조롱하는 법을 배웠습니다. 그는 코미디와 모방에 천부적인 재능이 있었고 곧 친구들과 반 친구들 사이에서 인기를 얻었습니다. 또한 연극에 대한 열정을 키워 아마추어 그룹과 학교 연극에서 연기를 시작했습니다.

18세 때 배우로서의 경력을 추구하기로 결심하고 전문 극단에 입단했습니다. 그는 빠른 속도로 다양한 역할과 카리스마 넘치는 연기자로 자신의 역량을 입증하며 희극과 비극적인 역할을 모두 소화할 수 있었습니다. 또한 기타를 연주하며 자신이 직접 쓴 스케치와 노래를 부르기도 했습니다. 그는 무대의 스타가 되었고 대중과 평단 모두에게 존경받았습니다. 특히 당시 포르투갈의 정치적, 사회적 상황을 풍자하는 재치 있고 냉소적인 발언으로 유명했습니다. 안토니우 드 올리베이라 살라자르의 독재, 검열, 부패, 빈곤을 조롱하는 것을 두려워하지 않았습니다. 그는 언젠가 이렇게 말했습니다: "포르투갈에는 두 종류의 사람이 있습니다. 아무것도 가지지 않은 사람과 잃을 것이 아무것도 없는 사람입니다.(Em Portugal há duas espécies de homens: os que não têm nada e os que não têm mais nada.)"

1933년에는 포르투갈 최초의 유성 영화인 '리스본의 노래(A Canção de Lisboa)'에서 주인공을 맡아 영화계에 데뷔했습니다. 이 영화는 큰 성공을 거두었고 바스쿠를 국민적 아이콘으로 자리매김하게 했습니다. 그는 부유한 이모의 돈으로 먹고살면서 의사인 척하는 게으르고 무책임한 학생 바스키뉴(Vasquinho) 역을 맡았습니다. 이 영화는 배꼽 잡는 장면과 명대사로 가득한데, 그 중에서도 바스키뇨가 환자에게 "걱정하지 마세요, 당신은 죽지 않을 거예요. 길고 비참한 삶을 살게 될 거예요.(Não se preocupe, não vai morrer. Vai viver muito e desgraçado.)"라고 말하는 장면이 유명합니다. 이 영화에는 바스코의 대표곡이 된 유명한 노래 '밀짚모자(Chapéu de Palha)'도 수록되어 있습니다.

바스쿠는 연극과 영화에서 약 12편의 영화에 주연으로 출연하며 계속해서 활동했습니다. 그의 대표적인 작품으로는 1942년 작 '노래의 안뜰(O Pátio das Cantigas)', 1947년 작 '별의 사자(O Leão da Estrela)' 등이 있습니다. 또한 여배우 라우라 알베스(Laura Alves)와

호흡을 맞춰 큰 케미스트리와 코믹한 타이밍을 선보이며 성공적인 파트너십을 맺었습니다. 그들은 로맨틱하고 유머러스한 커플을 많이 연기하며 관객들의 사랑을 받았습니다. 바스쿠는 또 다른 여배우 미리타 카시미루(Mirita Casimiro)와 짧은 결혼 생활을 하기도 했지만 5년 만에 이혼했습니다. 세 번의 결혼 생활에서 네 명의 자녀를 두었는데, 그 중 한 명인 엔히크 산타나(Henrique Santana)는 유명한 배우가 되었습니다.

바스쿠는 위대한 배우였을 뿐만 아니라 관대하고 친절한 사람이었습니다. 동료와 친구들에게 사랑과 존경을 받았으며 도움이 필요한 사람들에게 항상 기꺼이 도움을 주었습니다. 또한 겸손하고 소박한 사람으로 명성과 성공에 도취되지 않았습니다. 그는 또한 소박하고 검소한 생활을 했으며 돈이나 물질적인 것에는 크게 신경쓰지 않았습니다. 책을 읽거나 체스를 두거나 음악을 듣는 데 시간을 보내는 것을 더 좋아했습니다. 특히 클래식 음악을 좋아했으며 2,000장이 넘는 레코드를 소장하고 있었습니다.

바스코는 1958년 6월 13일 60세의 나이로 폐색전증으로 사망했습니다. 그의 죽음은 온 나라에 충격과 비극이었고 수천 명의 사람들이 그의 장례식에 참석했습니다. 그는 리스본의 프라제레스 묘지에 묻혔으며, 그의 무덤은 여전히 많은 팬과 숭배자들이 찾는 곳입니다. 그는 웃음과 기쁨의 유산을 남겼으며, 여전히 포르투갈 영화와 연극계에서 가장 위대하고 사랑받는 배우 중 하나로 꼽힙니다. 시인 페르난두 페소아의 말처럼 그는 "웃고, 웃게 만들고, 행복한" 사람입니다.

카시아누 브랑쿠 (1898 - 1969)

카시아누 브랑쿠(Cassiano Branco)는 1898년 8월 13일 포르투갈 리스본에서 태어났습니다. 그는 작은 기업가와 신문 편집자의 외아들이었습니다. 그는 어린 시절부터 예술과 건축에 관심을 보였지만, 리스본 미술 학교(Escola Superior de Belas-Artes de Lisboa)에서 받은 전통적인 교육에 만족하지 못했습니다. 2년 만에 중퇴하고 기술공업학교에 입학하여 실용적인 기술을 배우고 자신만의 스타일을 발전시켰습니다.

파리, 브뤼셀, 암스테르담 등 유럽의 여러 도시를 여행하며 당시의 아방가르드 운동인 아르데코, 표현주의, 큐비즘 등을 접했습니다. 특히 1925년 파리에서 열린 현대 장식 및 산업 예술 국제 박람회에서 디자인과 기술의 최신 혁신을 선보였는데, 이에 큰 감명을 받았습니다.

리스본으로 돌아와 1932년 오랜 도제 기간을 거쳐 건축학 학위를 취득했습니다. 곧 파르달 몬테이루(Pardal Monteiro), 코티니엘리 텔무(Cottinelli Telmo), 카를로스 하모스(Carlos Ramos), 크리스티누 다 실바(Cristino da Silva), 조르즈 세구라두(Jorge Segurado) 등과 함께 포르투갈 모더니스트 1세대를 대표하는 건축가 중 한 명으로 자리 잡았습니다. 주로 개인 고객을 위해 일했으며, 새로운 형태와 재료를 실험할 수 있는 자유를 주었습니다. 또한 프리메이슨 로지에 가입하여 인맥과 지원을 받을 수 있었습니다.

그의 작품은 기하학, 색상, 장식의 대담하고 역동적인 사용이 특징이며 아르데코 스타일에 영향을 받았습니다. 또한 타일, 아줄레주, 마누엘린 모티브 등 포르투갈의 문화와 역사적 요소를 도입했습니다. 에덴 시네마(Eden Cinema), 빅토리아 호텔(Victoria Hotel), 포르투 콜로세움(Coliseum of Porto) 등 주변 환경과 차별화된 도시의 랜드마크를 만드는 데 능숙했습니다. 또한 주택, 상점, 학교, 교회 등 소규모 프로젝트도 디테일과 기능성에 중점을 두고 설계했습니다.

그는 건축가일 뿐만 아니라 화가, 조각가, 작가, 비평가이기도 했습니다. 건축, 예술, 문화에 대한 여러 권의 책과 논문을 출간하며 재치와 풍자로 자신의 견해와 의견을 표현했습니다. 또한 국립미술협회, 포르투갈 건축가협회, 전국건축가연합 등 다양한 문화 및 사회 이니셔티브에도 참여했습니다. 그는 당시 지적, 예술적 서클에서 저명한 인물이었으며 많은 작가, 예술가, 정치인들과 친분과 협업을 맺었습니다.

1917년 마리아 엘리사 소레스 브랑쿠와 결혼하여 딸 마리아 테레사를 낳았습니다. 그는 자주 여행을 다니며 도시의 즐거움을 즐기는 편안하고 국제적인 삶을 살았습니다. 또한 괴팍하고 반항적인 성격으로 유명했으며, 종종 프로젝트를 놓고 당국과 고객과 충돌하기도 했습니다. 그는 솔직하고 논쟁적이어서 때로는 동료와 비평가들을 불쾌하게 하고 도발하기도 했습니다. 그러나 관대하고 충성스러워 친구와 동료들을 돕고 지원했습니다.

그는 1970년 4월 24일 71세의 나이로 리스본에서 사망했습니다. 200여 개가 넘는 작품을 남겼으며, 그 중 상당수는 포르투갈 모더니즘의 걸작으로 평가받고 있습니다. 포르투갈 건축의 발전과 증진에 기여한 공로를 국내외에서 인정받고 명예를 얻었습니다. 산티아고 다 에스파다 기사단, 엔히크 왕자 기사단, 대영제국 기사단을 수상하였고, 1969년 노벨 문학상 후보에도 올랐습니다.

카시아누 브랑쿠는 비전가이자 선구자로 자신의 개성과 시대를 반영한 독특하고 독창적인 스타일을 창조했습니다. 그는 포르투갈 건축 풍경을 풍요롭게 바꾸고 혁신한 모더니즘의 거장이었습니다. 한 전기 작가는 그를 "그 세대에서 가장 독창적이고 화려하고 국제적인 모더니스트"라고 평했습니다.

페레이라 드 카스트루 (1898 - 1974)

페레이라 드 카스트루(Ferreira de Castro)는 1898년 포르투갈 북부의 오셀라(Ossela)라는 작은 마을에서 태어났습니다. 아버지는 가난한 농부로 페레이라가 8살 때 사망하여 어머니와 형제들을 어려운 상황에 빠뜨렸습니다. 페레이라는 가족을 돕기 위해 목동과 농장 노동자로 일해야 했고 학교는 4년밖에 다니지 못했습니다. 하지만 독서를 좋아하여 구할 수 있는 책은 뭐든지 닥치는 대로 읽었으며, 특히 모험 소설과 여행기를 즐겨 읽었습니다.

12살 때 더 나은 삶과 부를 찾아 브라질로 이민을 가기로 결심했습니다. 리스본에서 몇 가지 소지품과 많은 꿈을 안고 배에 올라 1911년 아마존 강 하구에 있는 벨렘이라는 도시에 도착했습니다. 브라질이 상상했던 기회의 땅이 아니라는 것을 곧 깨달았고, 거칠고 낯선 환경에서 살아남기 위해 고군분투해야 했습니다. 그는 상점 점원, 포스터 소년, 선원, 기자 등 다양한 직업을 전전하며 1916

년에 출간한 첫 소설 '야망에 의한 범죄자(Criminoso por Ambição)'를 집필하기도 했습니다.

하지만 가장 기억에 남고 영향력 있는 경험은 파라이주(Paraíso)라는 고무 농장에서 고무 채취꾼으로 4년간 아마존 정글에서 일한 것입니다. 그곳에서 그는 고무 재벌에게 노예처럼 착취당하고 질병, 굶주림, 야생 동물에 노출된 노동자들의 고통과 폭력, 비참함을 목격했습니다. 또한 원주민 문화, 식물과 동물, 숲의 아름다움과 신비에 대해 알게 되었습니다. 이후 1930년에 출간한 걸작 '정글(A Selva)'에서 이 시기의 삶을 묘사했습니다.

'정글'은 포르투갈과 해외에서 큰 성공을 거두었습니다. 여러 언어로 번역되었고 비평가와 독자 모두 사실주의, 사회 비판, 문학적 품질에 대해 칭찬했습니다. 2002년에는 레오넬 비에라 감독이 영화로 제작하기도 했습니다. 이 책으로 페레이라 드 카스트루는 유명하고 존경받는 작가가 되었으며 할리우드에서 시나리오 작가로 일할 것을 제안 받기도 했습니다. 하지만 유럽에 머물며 문학 경력을 계속 이어나가는 것을 선호하여 이 제안을 거절했습니다.

1919년 브라질에서 8년을 보낸 후 페레이라 드 카스트루는 포르투갈로 돌아왔습니다. 그는 리스본에 정착하여 <O Século>, <A Batalha>, <O Diabo>, <Ilustração> 등 여러 신문과 잡지에서 기자로 일했습니다. 또한 프랑스, 영국, 아일랜드, 스페인, 이탈리아, 스위스 등 유럽 전역을 광범위하게 여행했습니다. 그는 <세계 일주(Volta ao Mundo)>, <행복한 순례(Peregrinação Alegre)>, <여기도 저기도 아닌(Nem Cá Nem Lá)> 등의 책에 여행에 대해 썼습니다.

1927년 디아나 드 리즈(Diana de Liz)와 결혼했는데, 그녀는 그의 영감이자 동반자였던 젊고 아름다운 여성이었습니다. 그는 '정글(A Selva)'을 그녀에게 바쳤으나 그들의 행복은 오래가지 못했습니다. 디아나는 오랜 투병 끝에 1930년에 사망했고, 페레이라는 상심과 우울에 빠졌습니다. 그는 자살을 시도했지만 실패했고, 이후 건강과 삶의 의지를 회복하기 위해 마데이라로 건너갔습니다. 1933년에는 죽음과 사랑에 대한 소설인 '이터니티(Eternidade)'를 출간했습니다.

1936년 페르난다 다 도레스 머시에르 마르케스와 재혼했지만 1년 후 이혼했습니다. 1938년에는 스페인 화가 엘레나 뮤리엘(Elena Muriel)과 세 번째 결혼을 하여 딸 엘사 베아트리즈(Elsa Beatriz)를 낳았습니다. 신트라 산맥에 위치한 오셀라(Ossela)에 가족과 함께 집과 박물관을 짓고 살았습니다. 또한 아퀼리누 히베이루, 미겔 토르가, 주제 사라마구 등 다른 작가 및 지식인들과 친구가 되었습니다.

사회적 불평등, 인간 본성, 역사, 문화 등의 주제를 탐구하는 소설, 에세이, 회고록을 계속해서 집필했습니다. 그의 대표작으로는 <이민자들(Emigrantes)>, <차가운 땅(Terra Fria)>, <양모와 눈(A Lã e a Neve)>, <최고의 본능>(O Instinto Supremo), <트린다드 코엘류의 삶과 작품(A Vida e a Obra de Trindade Coelho)> 등이 있습니다. 1973년에는 자서전 <메모리아스(Memórias)>를 출간했습니다.

1974년 76세의 나이로 포르투에서 사망하여 신트라 산맥에 있는 집과 박물관(Casa-Museu Ferreira de Castro) 근처에 묻혔습니다. 20세기 포르투갈 최고의 작가 중 하나로 꼽히며 사회적 사실주의와 다큐멘터리 소설의 선구자 중 한 명으로 기억되고 있습니다.

ıda e à saída.

레오폴두 드 알메이다 (1898 - 1975)

레오폴두 드 알메이다(Leopoldo de Almeida)는 1898년 10월 18일 리스본에서 태어났습니다. 그는 어린 시절부터 그림과 조각에 재능을 보였고 15세에 리스본 미술학교에 입학했습니다. 그곳에서 당시 포르투갈의 대표적인 예술가였던 시몽이스 드 알메이다(Simões de Almeida), 루시아노 프레이르(Luciano Freire), 콜룸바누 보르달루 피녜이루(Columbano Bordalo Pinheiro) 등의 가르침을 받았습니다.

1924년에는 건축가 루이스 크리스티노 다 실바와 함께 제1차 세계대전 전사자 기념비 공모전에 참가하여 3등상을 수상했지만 프로젝트는 실행되지 않았습니다. 이듬해에는 리스본의 유명한 사교장소인 브리스톨 클럽의 장식에 카를로스 라모스, 조르지 바르다스 등의 모더니스트 예술가들과 함께 참여했습니다. 또한 국립미술협회 가을 살롱에 작품을 출품하여 호평을 받았습니다.

1926년에는 파리로 여행을 떠나 4개월간 머물며 유명한 예술 학교인 그랑 쇼미에르에 다녔는데, 이곳에서 조각가 에밀 앙투안 부르델을 만났을 수도 있습니다. 이후 포르투갈 정부의 장학금 덕분에 1929년까지 로마에 머물렀습니다. 이탈리아에서 고전과 르네상스 조각의 전통과 이탈리아 노베첸토 운동의 현대적인 경향을 접했습니다. 피렌체와 베네치아를 방문하기도 했으며 로마의 산토 안토니오 도스 포르투게스 예술 펜션에서 첫 개인전을 열었습니다.

이 시기의 대표작 중 하나는 1929년 포르투갈로 보내져 국립미술협회에서 전시한 '조상들의 멜랑콜리(Melancholia do Ancestral)' 또는 '파우노(Fauno)' 또는 '사티르(Satyr)'로도 알려진 작품입니다. 이 브론즈 조각은 바위에 앉아 슬픈 표정으로 플루트를 연주하는 반인반수의 생물을 묘사하고 있습니다. 이 작품은 그의 해부학적 지식과 학문적 훈련에 대한 충실함을 보여줄 뿐만 아니라 현대적이고 개인적인 손길을 불어넣는 능력도 보여줍니다.

1929년 포르투갈로 돌아온 그는 곧 포르투갈에서 가장 인기 있는 조각가 중 한 명이 되었습니다. 폼발 광장 기념비에 대한 참여를 시작으로 공공 기념비, 동상, 흉상, 릴리프뿐만 아니라 개인 및 종교 작품에 대한 수많은 주문을 받았습니다. 또한 포르피리오 파르달 몬테이루 등의 건축가와 함께 건물과 도시 공간의 장식 작업을 했습니다. 브론즈, 돌, 나무, 석고, 도자기 등 다양한 재료를 사용하여 사실주의에서 추상, 고전주의에서 모더니즘에 이르기까지 다양한 스타일과 기법을 실험했습니다.

그의 대표작 중 일부는 리스본 아베니다 다 리베르다드에 있는 카스틸류(António Feliciano de Castilho)와 올리베이라 마르틴스(Oliveira Martins)의 동상, 칼다스 다 하이냐의 하말류 오르티강(Ramalho

Ortigão), 포르투 법원의 정의(Justiça), 리스본 캄푸 그란드의 아폰수 엔히크스와 주앙 1세, 바탈랴의 누누 알바레스 페레이라 기마상과 리스본 피게이라 광장의 주앙 1세 기마상, 굴벤키안 미술관의 굴벤키안 기념비, 리스본 벨렘의 발견기념비에 있는 조각 그룹 등이 있습니다.

1934년부터 1968년까지 리스본 미술학교에서 조각을 가르쳤으며, 조아웅 쿠티렐루, 라고아 엔리케스, 주제 호드리게스 등 여러 세대의 포르투갈 조각가들에게 영향을 미쳤습니다. 국립미술원과 포르투갈 역사학회 회원이었으며, 국립미술협회 명예훈장, 산티아고 다 에스파다 기사단 대십자훈장, 리스본 시 황금메달 등 여러 상과 훈장을 받았습니다.

1975년 4월 28일 76세의 나이로 리스본에서 사망하며 예술적 비전과 역사적 맥락을 반영하는 방대하고 다양한 작품을 남겼습니다. 그는 포르투갈 모더니즘 세대의 가장 중요하고 대표적인 조각가 중 한 명이자 에스타두 노부 정권의 공식적이고 현대화된 조각의 최고 표현 중 하나로 평가됩니다.

또한 삶을 즐기고 유머 감각이 뛰어났던 재치 있고 관대한 사람으로도 기억됩니다. 그는 "나는 돈을 위해 조각하지 않는다. 나는 즐거움을 위해 조각한다. 돈은 그저 부산물일 뿐이다.(Não esculpo por dinheiro. Esculpo por prazer. O dinheiro é apenas um subproduto.)"라고 말한 적이 있습니다. 마리아 다 콘세이상 드 알메이다와 결혼하여 에두아르두, 주앙, 마리아 조아나, 마리아 테레사 네 자녀를 두었습니다.

두아르트 파셰코
(1900 - 1943)

두아르트 파셰코(Duarte Pacheco)는 1900년 4월 19일 알가르브 지역의 룰레(Loulé)에서 태어났습니다. 그러나 그의 출생증명서는 관료적 오류로 인해 출생 연도를 1899년으로 기록했고, 그는 이를 수정하지 않았습니다. 사람들은 이미 그를 자신의 일에 비해 너무 어리다고 생각한다고 농담하기도 했습니다.

그는 룰레 경찰청장과 가정주부 사이에서 태어난 네 아들과 일곱 딸 중 막내였습니다. 그의 어머니는 그가 여섯 살 때 사망했고, 아버지는 아조레스로 이주하면서 아이들을 큰 누나에게 맡겼습니다. 두아르테 파셰코는 수학과 공학에 일찍부터 재능을 보였고, 학비를 벌기 위해 일을 하면서까지 포르루 대학교에 입학할 때까지 개인 교사들과 함께 공부했습니다.

17세에 리스본에 새로 설립된 Instituto Superior Técnico(IST)에 입학하여 1923년 전기공학 학사 학위를 취득했습니다. 그는 뛰어난 학생이었고 곧 교수가 된 후 이 학교의 학장을 역임했습니다. 또한 포르투갈 최초의 대학 캠퍼스가 될 새로운 IST 건물의 건설을 제안하기도 했습니다.

파셰코의 정치 경력은 1928년 29세의 나이에 교육부 장관으로 임명되면서 시작되었습니다. 몇 달 만에 사임했지만 곧 포르투갈 역사의 흐름을 바꿀 임무를 수행하게 됩니다. 그는 코임브라로 가서 경제학 교수인 안토니우 드 올리베이라 살라자르에게 리스본으로 돌아와 재무부 장관이 되어달라고 설득했습니다. 살라자르는 1926년 공공 지출을 통제하겠다는 조건이 거부되자 이전 정부 재무부 장관직에서 사임한 바 있었습니다. 파셰코는 살라자르가 다시 그 자리를 맡기 위해 요구한 파격적인 조건을 협상했습니다. 이 임무는 성공적이었고, 살라자르는 1928년 재무부 장관, 1932년 총리가 되어 에스타두 노부로 알려진 권위주의 정권을 수립했습니다.

파셰코는 살라자르의 가장 가까운 협력자 중 한 명이었으며, 1932년에는 사망할 때까지 역임한 공공사업 및 통신부 장관이 되었습니다. 그는 포르투갈의 인프라와 도시 계획을 현대화하는 일련의 주요 프로젝트를 담당했습니다. 도로, 교량, 댐, 공항, 항만, 철도, 공공 건물 등을 건설했습니다. 또한 국가교육위원회, 토목공학 국립연구소, 기상 및 지구물리학 국립연구소, 통계청을 설립했습니다. 그는 기술적 전문 지식, 행정 효율성, 정치적 수완을 결합한 비전과 행동의 인물이었으며, 협력자들과 대중 사이에서 충성심과 존경을 불러일으키는 카리스마 넘치는 지도자였습니다.

그의 가장 주목할 만한 업적 중 하나는 포르투갈 최초이자 유럽 최초의 고속도로인 리스본-포르투 고속도로의 건설입니다. 1934년에 이 프로젝트를 구상하였고, 사망 후인 1944년에 완공하였습니다. 기술적, 정치적으로 많은 어려움과 반대에 직면했지만, 그는 결단력과 창의력으로 이를 극복했습니다. 그는 작업의 모든 세부 사항을 직접 감독했으며 일부 교량과 고가교를 설계하기도 했습니다. 또한 강화 콘크리트 사용, 차선 분리, 비상 전화 설치 등 혁신적인 요소를 도입하기도 했습니다. 이 고속도로는 진보와 발전의 상징이자 파셰코의 비전과 재능의 증거였습니다.

파셰코는 1938년부터 1943년까지 리스본 시장을 역임하며 도시 계획과 건축적 개입으로 도시를 변화시켰습니다. 그는 도로를 확장하고 위생 및 조명 시스템을 개선하고 공원과 정원을 조성하였으며 기념비적인 건물과 동상을 세웠습니다. 또한 도시의 역사적, 문화적 유산을 보존하고 예술적, 사회적 삶을 촉진했습니다. 그는 시민의 복지와 행복을 위해 헌신한 인기 있고 존경받는 시장이었습니다.

파셰코의 삶은 1943년 11월 15일 비극적인 자동차 사고로 짧게 마감되었습니다. 그는 빌라 비소사(Vila Viçosa) 방문 후 장관 회의 참석을 위해 리스본으로 돌아오는 길에 도로를 벗어나 코르크 나무와 충돌했습니다. 그는 병원으로 급히 이송되었지만 다음 날 43세의 나이로 사망했습니다. 그의 장례식에는 수천 명의 사람들이 참석하여 위대한 인물이자 국민 영웅의 상실을 애도했습니다. 살라자르는 3일간의 국가 애도를 선언하고 파셰코를 "그의 세대의 가장 위대한 포르투갈인"이라고 칭송했습니다.

비토리누 네메시우
(1901 - 1978)

비토리누 네메시우(Vitorino Nemésio)는 포르투갈의 시인이자 소설가, 수필가, 교수로 대서양의 섬으로 이루어진 아조레스 제도에서 태어나고 자랐습니다. 그의 삶과 작품은 섬이라는 정체성, 바다에 대한 사랑, 문화와 역사에 대한 열정에 깊은 영향을 받았습니다.

네메시우는 1901년 12월 19일 테세이라 섬의 프라이아 다 비토리아에서 태어났습니다. 그는 세관원이었던 비토리노 고메스 다 실바와 교사였던 마리아 다 글로리아 멘데스 피네이로의 아들이었습니다. 그는 가난과 질병, 가족 문제로 힘든 어린 시절을 보냈습니다. 여섯 살 때 아버지를 잃었고, 열네 살 때 어머니를 여의었습니다. 그는 독실한 가톨릭 신자였던 외조부모 밑에서 자랐고, 외조부모는 그에게 종교적 감수성을 심어주었습니다.

네메시우는 일찍부터 문학과 시에 관심을 보였고, 15세 때 첫 시집인 '칸투 마티날(Canto Matinal)'을 출간했습니다. 그는 앙그라 중등

학교(Liceu de Angra)에 다녔는데, 그곳에서 역사와 언어에 두각을 나타냈지만 학업 문제와 징계 문제에 직면하기도 했습니다. 그는 1년 동안 학교에서 퇴학당하고 5학년 과정을 다시 공부해야 했습니다.

1918년, 그는 고등 교육을 받기 위해 리스본으로 이주했습니다. 그는 리스본 대학교 문학부에 입학하여 로맨스 문헌학과 문학을 공부했습니다. 또한 수도의 문화 및 문학계에도 참여하여 페르난두 페소아(Fernando Pessoa), 주제 레지오(José Régio), 미겔 토르가(Miguel Torga) 등 당대의 저명한 작가 및 지식인들과 친구가 되었습니다. 그는 학생 시절에 『Paço de Milhafre』(1924), 『Varanda de Pilatos』(1926), 『Sob os Signos de Agora』(1932), 『A Mocidade de Herculano』(1934)와 같은 여러 시집, 에세이, 평론집을 출간했습니다.

1926년 동료 학생이자 시인이었던 가브리엘라 몬하르디노 데 아제베도 고메스와 결혼하여 네 자녀를 낳았습니다. 또한 프랑스, 스페인, 이탈리아, 독일, 스위스, 벨기에를 방문하는 등 유럽 전역을 광범위하게 여행했습니다. 특히 프랑스 문화와 문학에 매료되어 포르투갈과 프랑스 낭만주의의 관계에 관한 여러 저작을 썼는데, 대표작으로는 <포르투갈 낭만주의의 프랑스와의 관계(Relações Francesas do Romantismo Português)>(1936)이 있습니다.

1932년 '유배에서 돌아온 에르쿨라노의 젊은 시절(A Mocidade de Herculano to Volta do Exílio)'라는 논문으로 박사 학위를 취득하고 리스본 대학교 문학부 교수가 되었습니다. 포르투갈과 프랑스 문학, 역사, 문화에 관한 과목을 가르쳤으며 학식과 웅변력, 카리스마로 학생들과 동료들의 존경을 받았습니다. 또한 그는 다작을 계속하여 『조화로운 동물(O Bicho Harmonioso)』(1938), 『나, 서쪽으로 이동(Eu, Comovido a Oeste)』(1940), 『운하에서의 악천후(Mau Tempo no Canal)』(1944), 『중간파도(Ondas Médias)』(1945), 『원형파티(Festa Redonda)』(1950), 『빵과 죄책감(O Pão e a Culpa)』(1955) 등 가장 유명한 작품을 발표하며 활발한 집필과 출판 활동을 펼쳤습니다.

네메시우는 작가이자 교수였을 뿐만 아니라 대중 지식인이자 문화 중재자이기도 했습니다. 그는 프레젠사 그룹, 신사실주의, 실존주의 등 다양한 문학 및 예술 운동에 참여했습니다. 또한 다양한 신문, 잡지, 라디오 방송국, 텔레비전 채널과 협력하여 저널리스트, 평론가, 해설자, 발표자로 활동했습니다. 1939년부터 1945년까지 문예지 Revista de Portugal의 편집장을 지냈으며, 1966년부터 1971년까지 인기 TV 쇼 O Tempo e o Modo의 진행자였습니다. 리스본 과학 아카데미 회원이기도 한 그는 리카르도 말헤이로스 문학상(1944), 국가 문학상(1965), 몽테뉴상(1974) 등 여러 영예와 상을 받았습니다.

네메시우는 1978년 2월 20일 리스본에서 76세의 나이로 사망했습니다. 그는 죽기 직전 아들에게 코임브라에 묻어달라고 부탁했고 사후 그의 뜻대로 진행되었습니다. 20세기 가장 영향력 있고 다재다능한 포르투갈 작가 중 한 명인 그의 유산은 오늘날에도 여전히 살아 숨 쉬고 있습니다. 그의 대표작으로 꼽히는 소설 『운하에서의 악천후(Mau Tempo no Canal)』는 20세기 초 아조리아 사회와 문화를 생생하고 복잡하게 그려낸 작품으로, 정체성, 기억, 사랑, 운명이라는 주제를 성찰한 작품입니다. 이 작품은 영화, TV 시리즈, 뮤지컬로 각색되었습니다.

페르난두 로페스 그라사
(1906 - 1994)

페르난두 로페스 그라사(Fernando Lopes Graça)는 1906년 12월 17일 포르투갈 중부의 작은 도시 토마르(Tomar)에서 태어났습니다. 그는 소박한 가정에서 태어났는데, 아버지는 이발사였고 어머니는 재봉사였습니다. 그는 6살 때 피아노를 배우고 9살 때 첫 작품을 작곡하는 등 어린 시절부터 음악에 재능을 보였습니다. 또한 자신이 살던 지역의 민속 음악에도 큰 관심을 가지고 지역 농민과 어부들의 노래와 춤을 수집하고 채보했습니다.

1924년 리스본으로 이주하여 국립음악원에서 공부했는데, 당시 그의 스승으로는 토마스 보르바(Tomás Borba), 루이스 드 프레이타스 브랑코(Luís de Freitas Branco), 비아나 다 모타(Vianna da Motta) 등 당대 최고의 스승들이 있었습니다. 또한 문학대학에 다니며 역사와 철학을 공부했지만 1926년 권력을 장악하고 1974년까지 지속된 억압적인 체제를 강요한 안토니우 올리베이라 살라자르의 독재에 항의하여 1931년 중퇴했습니다. 로페스 그라사는 학생 시위에 참여했다는 이유로 체포되어 시골 마을 알피아르샤로 유배되었습니다.

1932년 리스본으로 돌아와 작곡, 연주, 강의, 집필 등 음악 활동을 재개했습니다. 또한 살라자르에 대한 문화적, 정치적 반대 운동에 참여하여 1948년 포르투갈 공산당에 가입하고 민주주의, 사회정의, 민족 해방을 추진하는 다양한 운동과 조직에 참여했습니다. 그는 자신의 견해와 행동으로 인해 자주 박해받고 검열당하고 투옥되어 1934년부터 1965년까지 총 18개월을 감옥에서 보냈습니다. 또한 당국과 보수적인 기성 세력에 의해 금지되거나 보이콧 당하는 등 작품을 출판하고 연주하는 데 어려움을 겪었습니다.

이러한 장애물에도 불구하고 로페스 그라사는 교향곡, 협주곡, 실내악, 피아노곡부터 합창곡, 노래, 오페라, 발레에 이르기까지 놀라운 다작을 남겼습니다. 인상주의, 표현주의, 신클래식주의, 12음기법 등 다양한 음악 사조의 영향을 받았지만, 멜로디, 화성, 리듬, 형식에 대한 강한 감각이 특징인 자신만의 개인적인 스타일을 발전시켰습니다. 특히 포르투갈 음악 유산에 큰 영감을 받아 민속 음악, 중세 음악, 르네상스 다성음악, 바로크 음악 등의 요소를 자신의 작품에 통합했습니다. 또한 미겔 토르가(Miguel Torga), 주제 헤지우(José Régio), 소피아 드 멜루 브레이너 안드레센(Sophia de Mello Breyner Andresen), 주제 사라마구(José Saramago) 등 포르투갈의 저명한 시인 및 작가들과 협업하여 그들의 텍스트에 음악을 입히거나 주제에서 영감을 얻었습니다.

로페스 그라사는 또한 포르투갈 음악의 연구와 전파에 많은 삶을 바친 저명한 음악학자였습니다. 그는 포르투갈 작곡가들의 전기뿐만 아니라 음악의 역사, 이론, 비평에 관한 여러 책과 논문을 출판했습니다. 또한 고대와 현대의 많은 악보를 편집하고 개정했으며, 포르투갈의 민속 음악에 대한 광범위한 현장 조사를 실시하여 다양한 지역과 사회 집단의 수천 곡의 노래와 춤을 수집하고 분류했습니다. 포르투갈 지역 음악 선집의 출판에서는 민족음악학자 미셸 지아코메티와 협력하여 포르투갈 음악 민속의 풍부하고 다양성을 기록한 기념비적인 작품을 남겼습니다.

로페스 그라사는 1994년 11월 27일 카스카이스 인근 파레드(Parede)에서 87세의 나이로 사망했습니다. 그는 음악적 우수성과 시민적 용기의 유산뿐만 아니라 많은 숭배자, 학생, 친구들의 충성스러운 지지자들을 남겼습니다. 그는 포르투갈 국내외에서 산티아고 다 에스파다 기사단, 자유의 기사단, 엔히크 왕자 기사단, 벨라 바르토크 상, 유네스코 모차르트 메달 등 여러 상과 표창을 받았습니다. 또한 여러 다큐멘터리, 전기, 헌정 작품의 주제가 되었으며, 그의 작품은 당대와 오늘날 가장 권위 있는 음악가들과 앙상블에 의해 연주되고 녹음되었습니다.

페르난두 로페스 그라사는 비범한 삶을 산 비범한 인물이었습니다. 그는 천재 작곡가, 박식한 학자, 신념의 투사였습니다. 그는 가장 어둡고 어려운 시기에도 결코 자신의 이상과 꿈을 포기하지 않은 음악과 저항의 인물이었습니다. 한마디로 존경하고 기억할 만한 인물이었습니다.

아구스티뉴 다 실바
(1906 - 1994)

아구스티뉴 다 실바(Agostinho da Silva)는 1906년 2월 13일 포르투갈의 포르투에서 태어났습니다. 그의 본명은 조지 아구스티뉴 밥티스타 다 실바(George Agostinho Baptista da Silva)였지만 포르투갈어로 '작은 아우구스티누스'를 뜻하는 아구스티뉴라는 이름을 더 선호했습니다. 그는 네 살 때 읽고 쓰는 법을 배웠고 역사, 문학, 철학에 관한 책을 열정적으로 읽었던 조숙한 아이였습니다. 또한 모든 것에 의문을 제기하고 학교와 사회의 규칙에 순응하기를 거부했던 반항적인 아이이기도 했습니다.

그는 1928년 포르투 대학교에서 고전 문헌학을 전공하며 최우수 성적으로 졸업했습니다. 졸업 1년 후 23살의 나이로 '고대 문명의 역사적 의미(O Sentido Histórico das Civilizações Clássicas)라는 논문으로 박사 학위를 받고 1929년 장학생으로 파리에서 유학했습니다. 그 후 포르투갈로 돌아와 고등학교 교사가 되었지만 1932년부터 1968년까지 포르투갈을 통치한 안토니우 올리베이라 살라자르의 권위주의 정권과 곧 마찰을 빚었습니다. 살라자르는 포르투갈 국민에게 엄격한 검열과 경직된 도덕적 코드를 강요하고 모든 반대나 이의를 억압했습니다. 모든 것에 앞서 자유를 중시했던 아구스티뉴 다 실바는 비밀 또는 반체제 단체에 소속되지 않았다는 선언(Cabral Law)에 서명하기를 거부했고 1935년 교직에서 해고되었습니다. 직후 스페인 외무부로부터 장학금을 받으며 마드리드의 역사연구센터에서 공부했지만 1936년 스페인 내전 발발로 인해 포르투갈로 돌아왔습니다.

그는 문화, 교육, 종교, 정치 등 다양한 주제에 관한 책과 논문을 계속해서 쓰고 출판했습니다. 또한 이니시아싸웅(Iniciação)이라는 문화 잡지와 포르투갈 시인이자 철학자의 이름을 딴 누클레오 페다고지코 안테루 드 퀜탈(Núcleo Pedagógico Antero de Quental)이라는 교육 운동을 창립했습니다. 그는 대화, 창의성, 자율성에 기반한 인문주의적이고 진보적인 교육을 옹호했습니다. 또한 범신론, 천년왕국론, 포기의 윤리학 요소를 결합한 자신만의 철학 체계를 발전시켰습니다. 그는 신이 모든 것과 모든 사람 안에 존재하며, 역사는 조화와 완벽의 최종 단계를 향해 나아가고 있으며, 이를 달성하는 가장 좋은 방법은 모든 집착과 욕망을 포기하고 단순함과 기쁨 속에서 사는 것이라고 믿었습니다. 그는 "행복해지는 유일한 방법은 사랑하는 것입니다. 사랑은 고통입니다. 고통은 행복입니다."라고 말했습니다.

그는 1943년 비밀경찰에 체포되어 살라자르를 전복하려는 음모에 연루된 혐의로 기소되었습니다. 몇 달 후 풀려났지만 포르투갈을 영원히 떠나기로 결심했습니다. 1947년부터 1969년까지 22년 동안 브라질에 머물렀습니다. 여러 대학에서 강의를 했으며 다른 지식인들과 예술가들과 협업했습니다. 또한 1954년 상파울루 4차 센테니얼 박람회 조직, 1960년 산타카타리나 대학교 설립, 1962년 아프리카 오리엔탈 연구 센터 설립 등 다양한 문화 및 사회 프로젝트에 참여했습니다. 그는 1956년 브라질 시민이 되었고 1961년 자니오 쿼드로스(Jânio Quadros) 대통령의 측근 고문이 되었습니다. 또한 카리스마, 지혜, 관대함에 끌린 많은 젊은이들의 친구이자 멘토였습니다. 그는 "나는 제자가 없습니다. 나는 친구만 있을 뿐입니다."라고 말했습니다.

그는 1969년에 살라자르가 병들어 총리에서 물러난 뒤 포르투갈로 돌아왔습니다. 그는 교직과 집필 활동을 재개했으며 포르투갈 언론과 대중 생활에서 인기 있는 인물이 되었습니다. 그는 종종 강연, 인터뷰, 세미나에 초대되어 민주주의, 문화, 과학, 영성 등 다양한 주제에 대한 견해를 표명했습니다. 1987년 산티아고 다 에스파다 기사단 대십자훈장, 1992년 카몽이스 문학상 등 여러 명예와 상을 수상했습니다. 그는 1994년 4월 3일 리스본에서 88세의 나이로 사망했습니다.

아구스티뉴 다 실바는 비범한 삶을 산 비범한 인물이었습니다. 그는 논문을 쓰지 않고 대화를 나눈 철학자였습니다. 그는 교리를 강요하지 않고 질문을 자극한 교사였습니다. 그는 명성을 추구하지 않고 소통을 추구한 작가였습니다. 그는 행복을 추구하지 않고 자유를 추구한 인간이었습니다. 그의 말을 빌리자면 "웃으며 걷는 사람"이었습니다.

BEATRIZ COSTA
ATRIZ

베아트리스 코스타
(1907 - 1996)

베아트리스 코스타(Beatriz Costa)는 1907년 12월 14일 포르투갈 마프라 근처에 있는 샤르네카라는 작은 마을에서 베아트리스 다 콘세이상(Beatriz da Conceição)이라는 이름으로 태어났습니다. 그녀는 제분업자와 재봉사의 딸로 네 살 때 부모님이 이혼하셨습니다. 그녀는 어머니와 함께 리스본으로 이사하여, 하녀, 재봉사, 자수가로 일하면서 어려운 어린 시절을 보냈습니다. 그녀는 독학으로 읽고 쓰는 법을 배웠고 연극과 영화에 대한 열정을 키웠습니다.

그녀는 15세에 리스본의 에덴 극장(Éden Theatre)에서 '열린 차와 토스트(Chá e torradas)'라는 레뷰에서 코러스 걸로 데뷔했습니다. 그녀는 곧 루이스 갈랴두(Luís Galhardo)라는 극장 흥행업자의 눈에 띄어 베아트리스 코스타라는 예명을 받고 그의 회사에 고용되었습니다. 그녀는 레뷰 장르의 스타가 되어 인기 있는 쇼에서 공연했습니다. 또한 회사와 함께 브라질과 스페인을 순회하며 스페인어와 프랑스어를 배웠습니다.

1928년 파티마의 성모 발현을 다룬 무성 영화 '파티마 밀라그로사(Fátima Milagrosa)'에서 데뷔를 했으며 포르투갈 전역에서 유명해졌습니다. 또한 주제 레이탕 드 바호스(Leitão de Barros)의 다큐멘터리 영화 '리스보아(Lisboa, Crónica Anedótica)'와 에모(E.W. Emo) 감독의 코미디 영화 '나의 결혼식 날 밤(A Minha Noite de Núpcias)'에도 출연했습니다.

1930년대에는 포르투갈 영화사에서 가장 호평받은 영화 중 세 편인 '리스본의 노래(A Canção de Lisboa)', '하얀 옷 마을(Aldeia da Roupa Branca)', '네잎 클로버(O Trevo de Quatro Folhas)'에 출연하며 전성기를 맞이했습니다. 이 영화들은 코미디언, 가수, 댄서로서의 그녀의 재능과 주연 배우로서의 매력과 카리스마를 보여주었습니다. 그녀는 부자와 사랑에 빠지는 순진하고 쾌활한 학생 앨리스, 가수가 되는 꿈을 꾸는 세탁부 그라신다, 복권에 당첨되어 파리로 여행을 떠나는 꽃 파는 소녀 로사 등 기억에 남는 캐릭터를 연기했습니다. 그녀는 기쁨, 낙천주의, 현대성의 국가적 상징이 되었으며 대중과 평단의 사랑을 받았습니다.

1950년대까지 연극과 영화에서 계속 활동하였으며, 또한 라디오와 텔레비전 쇼에 출연하고 여러 곡을 녹음하기도 했습니다. 1952년 포르투갈 정부로부터 자국의 문화와 위신에 기여한 공로로 산티아고 기사단 훈장을 받았습니다.

1960년대에는 연예계에서 은퇴하고 집필에 전념했습니다. 그녀는 자신의 삶과 경력을 회고한 회고록 '말을 아끼지 않고(Sem Papas na Língua)', 일화와 이야기 모음집 '바스코가 산타나였을 때 그리고 그뿐 아니라(Quando os Vascos was Santanas··· e Não Só)', 자신에게 영향을 준 여성들에게 바치는 헌사 '국경 없는 여성(Mulher sem Fronteiras)' 등 여러 권의 책을 출간했습니다. 또한 신문과 잡지에 기고하고 강연과 인터뷰를 했습니다. 그녀는 문화 공로 메달, 리스본시 황금 메달, 엔히크 왕자 훈장 등 여러 상과 표창을 받았습니다.

그녀는 1996년 4월 15일 40년 이상 살았던 리스본 티볼리 호텔 자기 방(6층 606호)에서 88세의 나이로 사망했습니다. 자신의 유언대로 자신에 대한 헌정 박물관으로 큰 감동을 주었던 말베이라(Malveira) 묘지에 묻혔습니다. 자녀는 남기지 않았지만 포르투갈의 여러 세대에게 웃음, 음악, 영감의 유산을 남겼습니다.

비에이라 다 실바
(1908 - 1992)

마리아 헬레나 비에이라 다 실바(Maria Helena Vieira da Silva)는 1908년 6월 13일 포르투갈 리스본에서 태어났습니다. 외교관인 아버지와 함께 세계를 여행하며 이탈리아 미래주의자들과 러시아 발레단 등 다양한 예술 운동을 접하며 부유한 어린 시절을 보냈습니다.

그녀는 어린 시절부터 그림과 조각에 재능을 보였고, 열한 살 때 리스본에 있는 국립미술아카데미에 입학했습니다. 천재였지만 반항아 기질도 있었습니다. 교사들의 아카데믹한 스타일을 싫어했고 다양한 기법과 표현 방식을 실험하는 것을 선호했습니다.

1928년 예술의 중심지인 파리로 이주하여 훗날 남편이 되는 헝가리 화가 아르파드 세네스(Árpád Szenes)를 만나 1930년 결혼했습니다. 파리에서 페르낭 레제(Fernand Léger), 앙투안 부르델(Antoine Bourdelle), 스탠리 윌리엄 헤이터(Stanley William Hayter) 등 당대 가장 영향력 있는 예술가들에게 드로잉, 조각, 판화를 배웠습니다. 외국에서 외국사람과 결혼하면서 비에이라 다 실바는 포르투갈 국적을 상실하게 되었고 본의 아니게 오랫동안 무국적자의 삶을 살게 됩니다.

비에이라 다 실바는 기하학적 형태, 선, 색상의 복잡한 구성으로 깊이와 원근감의 착각을 일으키는 자신만의 독특한 회화 스타일을 발전시켰습니다. 그녀는 파리의 도시 풍경뿐만 아니라 음악, 문학, 철학에서도 영감을 받았습니다.

1933년 장 부셰 갤러리에서 첫 개인전을 열며 그녀의 주요 지지자이자 홍보자가 되었습니다. 또한 독립미술가협회 살롱전과 살롱도톤 등 여러 그룹전에도 참가했습니다. 유럽 추상 표현주의 운동인 아르 앵포르멜의 대표적인 인물 중 한 명으로 인정받았습니다. 또한 태피스트리와 스테인드글라스 등 다른 매체도 실험했습니다.

1939년 제2차 세계대전이 발발하면서 그녀의 경력은 중단되었습니다. 그녀의 남편이 유대인 출신이었기에 프랑스의 나치 점령으로부터 도망쳐야 했습니다. 처음에는 포르투갈로 갔는데 살라자르의 파시스트 정권으로부터 적대감과 검열에 직면했습니다. 포르투갈 국적 회복을 끝내 거부당하자 이 부부는 유럽을 떠날 수 밖에 없었습니다.

그 후 1947년까지 브라질로 이주하여 현지 예술가 커뮤니티의 환영을 받으며 여러 차례 전시회를 열었습니다. 하지만 파리를 그리워하며 돌아가고 싶어했습니다. 이 기간 동안 그녀는 슬프고 괴로웠던 자신의 감정을 작품에 담았습니다.

전쟁이 끝나고 1947년에 마침내 파리로 돌아왔습니다. 1952년 다시 한 번 포르투갈 국적 회복을 신청했지만 그녀의 국제적인 명성에도 불구하고 다시 한 번 거부를 당했고, 1956년에서야 프랑스 국적을 취득하게 되었습니다. 예술 활동을 재개하며 전후 문화 부흥의 일원이 되었습니다. 비에이라 다 실바는 1966년 프랑스 국립 예술대상을 수상한 최초의 여성이기도 합니다. 1979년 레지옹 도뇌르 훈장 슈발리에를 받기도 했습니다.

런던의 테이트 미술관, 암스테르담의 스테델릭 미술관, 파리의 퐁피두 센터, 리스본의 굴벤키안 미술관 등 전 세계 유수의 박물관과 갤러리에서 수많은 개인전과 회고전을 열었습니다. 그녀의 작품은 뉴욕 현대미술관, 구겐하임 미술관, 워싱턴 D.C.의 국립미술관 등 많은 중요한 컬렉션에 소장되어 있습니다.

비에이라 다 실바는 1992년 3월 6일 파리에서 83세의 나이로 사망했습니다. 시적이고 역동적인 공간과 현실의 시각으로 관객에게 도전하고 매혹시키는 놀라운 작품들을 남겼습니다. 국제앰네스티와 적십자 등 많은 자선단체와 대의를 지원한 관대하고 겸손한 사람이기도 했습니다. 선구자, 선구자, 예술의 대가였습니다. 간단히 말해 20세기 최고의 화가 중 한 명이었습니다.

주앙 빌라레트 (1913 - 1961)

주앙 빌라레트(João Villaret)는 1913년 5월 10일 리스본의 유복한 의사와 언론인 가정에서 태어났습니다. 그는 밝고 호기심 많은 아이로 어린 시절부터 예술에 관심을 보였습니다.

15세에 국립연극원에 입학하여 아멜리아 레이 콜라수(Amélia Rey Colaço)와 로블스 몬테이루(Robles Monteiro) 같은 포르투갈 최고의 교사들로부터 연기 기술을 배웠습니다. 1930년에 졸업하고 1931년 마르셀리누 메스키타의 역사 드라마 '레오노르 텔레스(Leonor Teles)'에서 단역으로 연극 무대에 데뷔했습니다. 그는 곧 고전극과 현대극, 뮤지컬, 레뷰 등 다양한 장르에서 연기할 수 있는 다재다능하고 재능 있는 배우임을 증명했습니다. 그는 코미디에 대한 재능도 있었지만 비극적인 역할에서도 설득력 있는 감정의 깊이를 보여주었습니다. 그는 잘생기고 매력적이며 카리스마가 넘쳤으며 포르투갈 연극계의 스타가 되었습니다.

1940년대와 1950년대에는 '폭군 아버지(O Pai Tirano)', '이네스 드 카스트로(Inês de Castro)', '카몽이스(Camões)', '프레이 루이스 드 소우자(Frei Luís de Sousa)', '사촌 바질리우(O Primo Basílio)' 등 여러 영화에 출연하며 영화계에도 진출했습니다. 안토니우 로페스 히베이루, 레이탕 드 바호스, 아르투르 두아르트 등 당대 최고의 감독들과 함께 작업했습니다. 카몽이스 시인, 이네스 드 카스트로의 연인, 에사 드 케이로스의 소설에 나오는 루이사의 남편 등 역사적이거나 문학적인 인물을 자주 연기했습니다. 그는 스크린에 연극적인 기술, 표현력 있는 목소리, 매력적인 존재감을 가져왔습니다. 그는 인기 배우였을 뿐만 아니라 비평가와 동료들의 존경을 받은 존경받는 배우였습니다.

또한 1944년 친구인 안토니우 로페스 히베이루(António Lopes Ribeiro), 히베이리뉴(Ribeirinho)와 함께 자신의 극단인 '리스본 코미디언(Os Comediantes de Lisboa)'을 창단한 성공적인 감독이자 프로듀서이기도 했습니다. 국내외 많은 연극을 무대에 올렸고 포르투갈 대중에게 새로운 작가와 스타일을 소개했습니다. 특히 몰리에르, 페이도, 아니외 등 프랑스 코미디를 좋아했습니다. 또한 가족 재회에 관한 유머러스하고 감동적인 이야기를 담은 자신의 작품 '크리스마스 밤'을 연출하기도 했습니다. 그는 세트와 의상부터 조명과 음악에 이르기까지 제작의 모든 디테일에 신경을 쓴 창의적이고 혁신적인 감독이었습니다. 그는 쇼를 기억에 남고 즐겁게 만드는 비전과 취향을 가지고 있었습니다.

또한 페르난두 페소아, 안토니우 보투, 카밀루 페사냐, 보들레르, 베를렌, 랭보 등 포르투갈 국내외 시인들의 시를 쓰고 낭송한 뛰어난 시인이자 낭송가였습니다. 그는 놀라운 목소리, 완벽한 발음, 리듬과 멜로디 감각으로 낭송을 매력적이고 감동적으로 만들었습니다. 극장, 라디오, 텔레비전에서 공연했으며 자신의 시집을 여러 장 녹음했습니다. 친구 보투(António Botto)를 통해 만난 페소아와 특별한 교감을 나눴으며, 페소아를 역대 최고의 시인 중 한 명으로 꼽았습니다. 페소아의 천재성을 처음으로 알아보고 홍보하며 그의 이명에 목소리를 부여한 사람 중 한 명이기도 했습니다. 또한 소피아 드 멜루 브레이너 안드레센(Sophia de Mello Breyner Andresen), 조르즈 세나(Jorge de Sena), 다비드 무라옹 페레이라(David de Jesus Mourão-Ferreira) 등 다른 시인들의 친구이자 숭배자였습니다. 그는 사랑, 삶, 아름다움, 슬픔의 시인으로 자신의 감정과 생각을 우아함과 진실성으로 표현했습니다.

그는 1975년 영국인 간호사인 신시아 빌렌과 결혼하여 네 자녀를 두었습니다. 그는 애정과 헌신으로 아내와 자녀를 돌본 헌신적인 남편이자 아버지였습니다. 동료 예술가들에게 많은 도움과 격려를 준 충실하고 지지적인 친구이기도 했습니다.

그는 당뇨병으로 인한 신장 질환으로 1961년 1월 21일 47세의 나이로 리스본에서 사망했습니다. 수년 동안 이 병을 앓아왔으며 의사의 조언과 치료를 무시해왔습니다. 또한 굳은 살을 제거하던 시술을 받던 중 발에 상처가 나서 상태가 악화되기도 했습니다. 가족과 친구들이 지켜보는 가운데 잠을 자던 중 사망했습니다. 그는 리스본의 프라제레스 묘지에 묻혔으며, 그의 무덤은 숭배자들과 팬들이 자주 찾는 곳입니다.

ALVARO CUNHAL

알바루 쿠냘 (1913 - 2005)

알바루 쿠냘(Álvaro Cunhal)은 포르투갈의 공산주의 지도자, 작가, 예술가로 에스타두 노부의 독재에 맞서 싸웠고 1974년 카네이션 혁명에서 핵심적인 역할을 했습니다. 그는 30년 이상 포르투갈 공산당(PCP)의 사무총장을 역임했으며 국제 공산주의 운동에서 저명한 인물이었습니다.

쿠냘는 1913년 11월 10일 코임브라에서 자유롭고 지적인 가정에서 태어났습니다. 그의 아버지는 변호사이자 작가였고 어머니는 독실한 가톨릭 신자였습니다. 세 명의 형제자매가 있었는데 그 중 두 명은 어린 나이에 사망했습니다. 세 살 때 가족과 함께 세이아로 이사했고, 집에서 초등 교육을 받았습니다. 그는 어린 시절부터 정치, 문학, 예술에 관심을 보였습니다.

1931년 리스본 대학교 법학부에 입학하여 불법화된 안토니우 올리베이라 살라자르의 파시스트 정권에 맞서 공산당(PCP)에 가입했습니다. 1936년 당 중앙위원회 위원이 되었고 1935년 모스크바에서 열린 제7차 코민테른 세계대회에 참석하기 위해 처음으로 소련을 방문했습니다. 반파시스트 활동으로 정치경찰(PIDE)에 여러 차례 체포되어 총 13년을 감옥에서 보내며 고문과 고립에 시달렸습니다. 또한 감옥에서 낙태에 관한 논문으로 법학 학위를 취득했는데, 이 논문을 심사했던 심사위원단 중에는 나중에 살라자르의 뒤를 이어 정권의 수장이 된 마르셀로 카이타노(Marcello Caetano)가 포함되어 있었습니다.

1960년 쿠냘은 다른 공산주의 투사 9명과 함께 페니셰(Peniche)에 있는 보안이 철저한 감옥에서 전설적인 터널 굴착과 지역 어부들의 도움을 받은 대담한 작전을 통해 탈옥했습니다. 그는 소련으로 망명했고 망명생활은 1974년까지 이어졌습니다. 1961년 벤투 곤살베스의 사망 후 PCP의 사무총장이 되어 당의 역사상 가장 어렵고 비밀스러운 시기를 이끌었습니다. 그는 포르투갈 식민지 아프리카의 해방 운동의 무장 투쟁을 지지했으며 포르투갈 국민의 자원과 생명을 고갈시킨 식민지 전쟁을 비난했습니다. 또한 1968년 소련의 체코슬로바키아 침공을 지지하고 1980년대 미하일 고르바초프의 개혁에 반대하는 확고한 친소련 입장을 유지했습니다.

쿠냘은 1974년 독재 정권을 전복시키고 민주주의를 회복시킨 카네이션 혁명 이후 포르투갈로 돌아왔습니다. 그는 혁명 과정의 주요 주인공 중 한 명이었으며 1976년 첫 자유 선거가 실시될 때까지 포르투갈을 통치한 임시 정부의 일원이었습니다. 그는 포르투갈의 사회주의적이고 반제국주의적인 길을 옹호하며 포르투갈의 나토와 유럽경제공동체(EEC) 가입에 반대했습니다. 그는 여러 차례 의회

의원으로 선출되어 노동자, 농민, 문화 부문의 이익을 옹호했습니다. 또한 PCP와 생태당 "녹색당"(PEV) 간의 선거 동맹인 단일 민주연합(CDU)의 창당에도 참여했습니다.

쿠냘은 또한 마누엘 티아구(Manuel Tiago)라는 필명을 사용한 다작의 호평받는 작가이기도 했습니다. 소설, 단편 소설, 에세이, 회고록 등을 집필했는데, 종종 공산주의 투사로서의 자신의 경험과 정치범으로서의 경험에서 영감을 받았습니다. 그의 가장 유명한 작품으로는 '5일 낮, 5일 밤(Cinco Dias, Cinco Noites)'(1969), '육각별(A Estrela de Seis Pontas)'(1970), '내일까지, 동지들(Até Amanhã, Camaradas)'(1974) 등이 있습니다. 또한 감옥에서 그림을 배워 안토니오라는 이름으로 작품을 전시한 재능 있는 화가이기도 했습니다. 밝은 색상과 기하학적 모양을 선호하여 초상화, 풍경화, 추상화를 그렸습니다.

쿠냘는 2005년 6월 13일 리스본에서 91세의 나이로 사망했습니다. 그의 장례식에 참석한 수천 명의 사람들이 그의 삶과 유산에 경의를 표하며 애도했습니다. 그는 몇 달 전에 사망한 오랜 동반자 페르난다 바호수(Fernanda Barroso) 옆에 상 주앙(Alto de São João) 묘지에 묻혔습니다. 1960년 동료 공산주의 활동가인 이사우라 모레이라와의 관계에서 태어난 딸 아나 쿠냘를 남겼습니다. 그는 자유, 민주주의, 사회주의를 위한 투쟁에 기여한 공로로 포르투갈 국내외에서 여러 상과 표창을 받았습니다.

베르질리오 페레이라 (1916 - 1996)

베르질리오 페레이라(Vergílio Ferreira)는 1916년 포르투갈 중부 산악 지역에 있는 구베이아 마을 근처의 멜루라는 작은 마을에서 태어났습니다. 그는 폭죽을 만드는 아버지와 가정주부인 어머니 사이에서 태어난 세 자녀 중 막내였습니다. 그의 어린 시절은 고난, 배고픔, 고립으로 점철되었지만 독서에 대한 사랑과 세상에 대한 호기심으로 가득했습니다.

열 살 때 근처 푼당 마을에 있는 신학교에 입학하여 고전 교육을 받고 라틴어, 그리스어, 프랑스어를 배웠습니다. 또한 문학에 대한 열정을 키웠는데, 특히 카모에스, 에사 드 케이로스, 도스토옙스키의 작품을 좋아했습니다. 그러나 곧 성직에 소명이 없다는 것을 깨닫고 16세에 신학교를 떠났습니다. 그리고 나서 그는 과르다에 있는 교사 양성 대학에 입학하여 첫 사랑인 마리아 다 콘세이상이라는 동료 학생을 만났습니다. 그들은 결혼을 계획했지만 그녀는 결핵으로 사망하여 결혼하지 못했습니다. 이 비극적인 사건은 그에게 깊은 상처를 남겼고 그의 가장 가슴 아픈 시와 이야기에 영감을 주었습니다.

1937년 그는 대학 도시인 코임브라로 이주하여 문헌학과 철학을 공부했습니다. 또한 도시의 문화 및 정치 활동에 참여하여 살라자르의 독재에 반대하고 민주주의와 사회 정의를 옹호하는 젊은 지식인 그룹에 가입했습니다. 문학 잡지, 연극 그룹, 비밀 모임에 참여했으며 미겔 토르가, 에두아르두 로렌수, 조르즈 세냐 등 당대의 가장 저명한 작가와 사상가들과 친구가 되었습니다.

1942년 포르투갈어, 라틴어, 그리스어 교사로 경력을 시작하여 처음에는 파루(Faro)에서, 그 다음에는 에보라에서, 마지막으로 리스본에서 가르쳤습니다. 또한 당시 포르투갈 문학을 지배하던 사회적 사실주의의 영향을 받은 첫 번째 책을 출간하기 시작했습니다. 그의 소설과 단편 소설은 농촌과 도시의 가혹한 현실, 노동자 계급의 투쟁, 정권의 억압을 묘사했습니다. 그의 초기 작품 중 일부는 '길은 멀리 있다(O Caminho Fica Longe)'(1943), '모든 것이 죽어가던 곳(Onde Tudo Foi Morrendo)'(1944), '마차 J(Vagão J)'(1946) 등입니다.

1944년 난민으로 포르투갈에 온 폴란드 교사 레지나 카스프르지코프스키(Regina Kasprzykowsky)와 결혼했습니다. 또한 문학 스타일에 급진적인 변화를 겪었는데, 이전 작품의 사회적 사실주의를 버리고 보다 실험적이고 내성적인 접근 방식을 수용했습니다. 사르트르와 카뮈의 실존주의 철학과 조이스와 프루스트의 모더니즘 기법에 영향을 받았습니다. 정체성, 기억, 죽음, 존재의 의미라는 주제를 탐구하며 상징과 비유로 가득한 복잡하고 시적인 언어를 사용했습니다. 이 시기에 가장 호평받은 소설 중 일부는 '변화(Mudança)'(1949), '침몰하는 아침(Manhã Submersa)'(1954), '출현(Aparição)'(1959), '최후의 노래(Cântico Final)'(1960) 등입니다.

1962년 그는 소설 '북극성(Estrela Polar)'로 권위 있는 카미유 카스텔루 브랑쿠 상을 수상하며 포르투갈 문학의 가장 중요하고 독창적인 작가 중 한 명으로 자리매김했습니다. 그의 책은 여러 언어로 번역되고 비평가와 독자들 모두에게 호평을 받으며 국제적인 인정을 받았습니다. 그는 '짧은 기쁨(Alegria Breve)'(1965), '명백한 무(Nítido Nulo)'(1971), '서둘러, 그림자(Rápida, a Sombra)'(1974) 등과 같은 주목할 만한 소설을 계속해서 발표했습니다. 또한 '오리지널 월드(Do Mundo Original)'(1957), '현상학에서 사르트르까지(Da Fenomenologia a Sartre)'(1963), '보이지 않는 공간(Espaço do Invisível)'(1965-1988) 등 문학, 철학, 예술에 관한 에세이도 썼습니다.

1974년 포르투갈의 독재 정권을 종식시키고 민주주의를 회복시킨 카네이션 혁명 이후 교직에서 은퇴하고 집필에만 전념했습니다. 또한 다양한 사회 문화 문제에 대한 의견을 표명하고 토론과 컨퍼런스에 참여하는 등 공공 영역에도 더 많이 참여했습니다. 산티아고 다 에스파다 기사단 대십자훈장, 엔히크 왕자 기사단 대십자훈장, 포르투갈어권 세계에서 가장 높은 문학상인 카몽이스 상 등 여러 명예와 표창을 받았습니다. 또한 코임브라, 포르투, 리스본 등 여러 대학에서 명예 박사 학위를 받았습니다.

1996년 3월 1일 80세의 나이로 리스본에 있는 자택에서 오랜 투병 끝에 사망했습니다. 그는 소설, 단편 소설, 중편 소설, 시, 에세이, 일기, 회고록 등 방대하고 다양한 작품을 남겼습니다..

SOPHIA DE MELLO BREYNER

소피아 드 멜루 브레이너 안드레센 (1919 - 2004)

소피아 드 멜루 브레이너 안드레센(Sophia de Mello Breyner Andresen)은 20세기 포르투갈에서 가장 중요하고 영향력 있는 시인 중 한 명이었습니다. 그녀는 작가, 번역가, 정치 활동가이자 다섯 아이의 어머니이기도 했습니다. 1999년 포르투갈어권에서 가장 높은 문학상인 카몽이스 상을 수상한 최초의 여성이기도 합니다.

소피아는 1919년 11월 6일 포르투갈 포르투의 부유하고 귀족적인 가정에서 태어났습니다. 그녀의 아버지 주앙 엔히크 안드레센은 현재 포르투 식물원이 있는 큰 사유지인 '캄포 알레그르 퀸타(Quinta do Campo Alegre)'를 소유한 덴마크 출신의 사업가였습니다. 그녀의 어머니 마리아 아멜리아 드 멜로 브라이너는 백작의 딸이자 벨기에 금융가의 손녀였습니다. 소피아는 자연, 예술, 문화에 둘러싸여 성장하며 시, 고전 언어, 그리스 신화에 대한 사랑을 키웠습니다. 그녀는 여학생을 위한 가톨릭 학교인 예수 성심 칼리지(Colégio

Sagrado Coração de Jesus)에 다니며 학생 운동의 리더로 활동했습니다. 이후 리스본 대학교에서 고전 문헌학을 공부했지만 학위를 마치지는 못했습니다. 그녀는 잡지 "시 노트(Cadernos de Poesia)"에 시를 발표하기 시작했고, 이곳에서 루이 시나티(Ruy Cinatti), 조르즈 세나(Jorge de Sena) 등 다른 젊은 시인들을 만났습니다.

1946년 그녀는 언론인, 변호사, 정치인인 프란시스쿠 소우자 타바레스와 결혼하여 리스본으로 이주했습니다. 그들은 미겔, 이사벨, 마리아, 소피아, 자비에르 다섯 자녀를 두었습니다. 소피아는 자녀들에게 영감을 받아 '바다 소녀(A Menina do Mar)'(1961), '요정 오리아나(A Fada Oriana)'(1964)와 같은 포르투갈 아동 문학의 고전이 된 이야기를 썼습니다. 또한 자연, 도시, 시간, 바다와 같은 주제를 탐구하는 시를 계속해서 썼습니다. 그녀의 대표적인 시집으로는 '일기 I'(1958), '여섯 번째 책'(1962), '지리학'(1967), '이중'(1972) 등이 있습니다. 그녀는 특히 카몽이스를 비롯한 포르투갈 시 전통과 페르난두 페소아, 마리오 사 카르네이루, 폴 엘뤼아르 등 모더니스트 및 초현실주의 시인들에게 영향을 받았습니다. 또한 유리피데스, 셰익스피어, 단테, 클로델의 작품을 포르투갈어로 번역했으며, 일부 시는 프랑스어, 영어, 스페인어 등 다른 언어로 번역되었습니다.

소피아는 또한 살라자르의 독재에 반대하고 민주주의와 사회주의 운동을 지지한 헌신적이고 용기 있는 정치 활동가였습니다. 1968년 의회 선거에서 야당 후보로 출마했고 정치범 지원을 위한 국가위원회 창립 멤버로 활동했습니다. 1974년 포르투갈의 독재 정권을 종식시키고 민주주의를 회복시킨 카네이션 혁명에도 참여했습니다. 1975년 제헌의회 선거에서 사회당 후보로 출마했지만 의

석을 확보하지는 못했습니다. 그녀는 인권, 여성의 권리, 교육, 환경 보호와 같은 사회 문화적 대의에 계속해서 참여했습니다. 또한 브라질에 망명 중이던 두아르테 2세 국왕의 지지자이자 친구이기도 했습니다.

소피아는 포르투갈 작가협회 시 부문 상(1964), 산티아고 다 에스파다 기사단 대십자훈장(1981), 헨리 왕자 기사단 대십자훈장(1987), 아베이루 대학교 명예 박사 학위(1998), 카몽이스 상(1999), 막스 자콥 시문학상(2001), 소피아 여왕 이베로아메리카 시문학상(2003) 등 문학적 성취와 시민적 공로로 많은 명예와 상을 받았습니다. 또한 노벨 문학상 후보에도 여러 차례 올랐지만 수상하지는 못했습니다.

2004년 7월 2일 리스본에서 향년 84세로 사망했으며, 그녀는 포르투갈의 저명한 인물들과 함께 국립판테온에 안장되었습니다. 그녀의 시는 여전히 모든 연령대와 배경의 사람들에게 널리 읽히고 사랑받고 있으며, 시와 자유, 정의를 사랑하는 사람들의 마음과 정신 속에 그녀의 유산이 살아 숨쉬고 있습니다.

아말리아 호드리게스 (1920 - 1999)

아말리아 호드리게스(Amália Rodrigues)는 1920년 7월 1일 포르투갈 리스본의 가난한 대가족에서 태어났습니다. 그녀의 아버지는 구두 수선공이었고 어머니는 주부였습니다. 아말리아는 여섯 명의 형제자매가 있었고 테주 강 근처의 소박한 동네에서 자랐습니다. 어린 시절부터 노래에 재능을 보였지만 정식 음악 교육을 받은 적은 없습니다. 라디오와 리스본의 선술집과 카페에서 공연하는 파두 가수들의 노래를 들으며 노래를 배웠습니다. 파두는 포르투갈의 전통적인 음악 장르로 포르투갈 기타와 클래식 기타의 반주에 맞춰 그리움, 슬픔, 향수, 사랑의 감정을 표현합니다. 아말리아는 파두와 그 정서적 힘에 매료되었습니다. 그녀는 가족 모임, 파티, 아마추어 대회에서 파두를 부르기 시작했습니다. 또한 가족을 돕기 위해 재봉사, 과일 판매원, 가정부로 일하기도 했습니다.

1940년 마리아 비토리아 극장(Teatro Maria Vitória)에서 열린 레뷰 공연에서 파두 가수로 프로 데뷔를 했고, 이때 프레데리쿠 발레리우(Frederico Valério)라는 작곡가의 눈에 띄었습니다. 그는 아말리아의 잠재력을 알아보고 '질투의 파두(Fado do Ciúme)', '아이 모아리아(Ai Mouraria)', '신이시여 용서하소서(Que Deus me perdoe)' 등 그녀를 위한 여러 곡을 작곡했습니다. 또한 그녀를 연극과 영화계에 소개했고, 그곳에서 연기와 노래를 시작했습니다. 1945년에는 브라질에서 첫 단독공연을 하여 큰 인기를 얻었습니다. 또한 스페인, 프랑스, 영국, 이탈리아, 미국 등을 순회하며 파두 음악을 국제 관객들에게 알렸습니다. 스페인어, 프랑스어, 이탈리아어, 영어 등 여러 언어로 노래를 부르며 볼레로, 탱고, 플라멩코 등 다양한 음악 스타일로 파두를 재해석했습니다.

1947년 페르디가웅 케이로가(Perdigão Queiroga)가 감독한 그녀의 대표작 '파두(Fado, História de uma Cantadeira)'에 출연했습니다. 이 영화는 포르투갈과 해외에서 큰 성공을 거두었고 아말리아는 포르투갈의 아이콘이자 포르투갈 문화의 상징이 되었습니다. 또한 '검은 망토(Capas Negras, 영화 데뷔작)', '투우사의 피(Sangue Toureiro)', '마법에 걸린 섬(As Ilhas Encantadas)' 등의 영화에도 출연했습니다. 이 영화들에서는 '포르투갈의 4월(April au Portugal)', '검은 배(Barco Negro)', '바다의 노래(Canção do Mar)', '나는 벽에다가도 고해성사를 하지 않아요(Nem as Paredes Confesso)' 등 그녀의 가장 유명한 곡들을 불렀습니다. 또한 루이스 드 카몽이스, 페르난두 페소아, 주제 레기오, 다비드 무라웅 페레이라(David Mourão-Ferreira) 등 유명한 포르투갈 시인들의 시를 노래로 부르며 새로운 음악적 표현을 선사했습니다. 비평가와 팬들 모두 그녀의 독특한 목소리, 표현력 있는 해석, 카리스마 넘치는 존재감을 극찬했습니다. 그녀는 '파두의 여왕'이자 '포르투갈의 목소리'로 불렸습니다. 산티아고 다 에스파다 기사단, 엔히크 왕자 기사단, 자유의 기사단, 레지옹 도뇌르 훈장 등 수많은 상과 명예를 받았습니다. 또한 엘리자베스 2세 여왕, 요한 바오로 2세 교황, 존 F. 케네디 대통령 등 국가원수들을 위한 공연을 펼치기도 했습니다.

아말리아는 가수이자 배우였을 뿐만 아니라 사회적, 정치적 활동가이기도 했습니다. 그녀는 포르투갈의 군주제 복원을 지지했고 안토니우 올리베이라 살라자르의 독재 정권에 의해 금지된 포르투갈 공산당에 비밀리에 자금을 기부하기도 했습니다. 또한 어려운 사람들, 특히 어린이와 예술가들을 많이 도왔습니다.

1974년 포르투갈의 독재 정권을 종식시킨 카네이션 혁명 이후 아말리아는 정권과 협력한 파시스트였다는 혐의를 받았습니다. 그녀의 인기는 심각하게 영향을 받았고, 그녀는 연예계에서 은퇴하기로 결심했습니다. 하지만 1년 후 리스본의 콜리세우 도스 레크레이오스 무대에 복귀했고, 5,000명의 관중이 기립 박수로 그녀를 환영했습니다. 그녀는 대중이 결코 그녀를 버리지 않았고 여전히 파두의 여왕임을 증명했습니다. 생애 마지막까지 콘서트, 페스티벌, TV 쇼에서 노래를 부르며 경력을 이어갔습니다.

아말리아는 1999년 10월 6일 리스본에 있는 자신의 집에서 향년 79세로 사망했습니다. 수년간 심장 질환을 앓고 있었으며 잠결에 평화롭게 세상을 떠났습니다. 팬, 친구, 가족, 당국자들이 대거 참석한 가운데 인상적인 장례식이 치러졌습니다. 그녀는 온 나라와 전 세계에서 애도를 받았습니다..

주제 사라마구
(1922 - 2010)

주제 사라마구(José Saramago)는 포르투갈의 소설가이자 노벨상 수상자로, 자신의 언어를 통해 기존 질서에 도전하고 인간의 존엄성을 옹호했습니다. 1922년 포르투갈 골레가(Golegã) 지방의 작은 마을 아지냐가(Azinhaga)에서 땅 없는 소작농 가정에서 자랐습니다. 그의 어린 시절은 가난, 문맹, 시골 생활의 가혹함으로 점철되어 있었습니다. 나중에 그의 할아버지 제레니모가 어린 시절 가장 영향력 있는 사람이었으며, 그에게 이야기의 가치와 자연의 아름다움을 가르쳐 주었다고 회상했습니다.

사라마구는 두 살 때 부모님과 함께 리스본으로 이사했지만 휴가 때마다 종종 고향 마을로 돌아갔습니다. 기술 학교에 다니며 기계공이자 금속 노동자가 되었지만 독서와 글쓰기에도 열정을 갖게 되었습니다. 리스본의 공공 도서관(A Biblioteca Municipal Palácio Galveias)을 자주 찾으며 정식 지도 없이 독학으로 지식을 쌓았습니다. 1947년 첫 소설 '죄악의 땅(Terra do Pecado)'을 출간했지만 주목을 받지 못했고 거의 20년 동안 다른 작품을 쓰지 않았습니다.

그 사이 저널리스트, 번역가, 편집자로 다양한 신문사와 출판사에서 일했습니다. 1969년 포르투갈 공산당에 가입하여 안토니우 살라자르의 독재 정권에 반대하는 정치적, 문화적 운동에 참여했습니다. 1974년 카네이션 혁명에 이은 우파 쿠데타로 1975년 일간지 '디아리오 데 리스보아(Diário de Notícias)'의 부편집장직에서 해고되었습니다. 이후 문학에 전념하기로 결심하고 1977년 두 번째 소설 '회화와 서예 교본(Manual de Pintura e Caligrafia)'을 출간했습니다.

1980년대에는 '수도원의 비망록(Memorial do Convento)', '히카르두 헤이스의 죽음의 해(O Ano da Morte de Ricardo Reis)', '돌 뗏목(A Jangada de Pedra)' 등 가장 호평받은 작품들을 집필하며 문학계에 이름을 알리기 시작했습니다. 그의 소설은 역사적 사실주의, 우화적 판타지, 사회 비판을 결합하며, 긴 문장, 구두점, 대화의 독특한 문체를 자주 사용했습니다. 또한 개인적, 집단적 경험에서 영감을 받아 사랑, 죽음, 종교, 정체성, 기억 등의 주제를 탐구했습니다.

1990년대에는 '예수 그리스도의 복음(O Evangelho Segundo Jesus Cristo)', '눈먼 자들의 도시(Ensaio sobre a Cegueira)', '모든 이름(Todos os Nomes)' 등을 출간하며 국제적인 명성을 얻었습니다. 1995년 카몽이스 상, 1998년 노벨 문학상을 수상하는 등 여러 상을 수상했습니다. 그는 포르투갈어권 작가로는 최초로 노벨상을 수상했고, 이베리아 반도 출신으로는 후안 라몬 히메네스에 이어 두 번째 수상자입니다. 상금은 포르투갈 국내외의 문화 및 사회 프로젝트를 지원하는 재단 설립에 기부했습니다.

사라마구는 특히 예수와 그의 가족을 불경스럽게 묘사했다는 이유로 포르투갈 정부가 1992년에 금지한 '예수 그리스도에 따른 복음(O Evangelho segundo Jesus Cristo)'을 비롯한 일부 소설로 논란과 검열에 직면했습니다. 그는 또한 인권과 민주주의를 침해하는 정책과 행동을 이유로 가톨릭 교회, 유럽연합, 미국, 이스라엘을 비판했습니다. 팔레스타인 문제에 대한 공개 지지자였으며 2009년 가자지구를 방문해 이스라엘의 봉쇄와 인도주의적 위기를 규탄했습니다.

사라마구는 1993년부터 스페인 언론인 필라르 델 리오와 두 번째 아내와 함께 카나리아 제도의 란사로테 섬에서 살았습니다. 2010년 87세의 나이로 사망할 때까지 글쓰기를 계속했습니다. 2009년 마지막 소설 '카인(Caim)'을, 2010년에는 블로그 게시물을 모은 '노트북(O Caderno)'을 출간했습니다. 또한 미완의 소설 '스카이라이트(Claraboia)'와 '알라바르다스, 알라바르다스, 에스핑가다스, 에스핑가다스(Alabardas, Alabardas, Espingardas, Espingardas)'를 남겼는데, 이 작품들은 사후에 출간되었습니다.

사라마구는 40권이 넘는 소설, 단편 소설, 에세이, 시, 회고록 등을 남긴 다작의 영향력 있는 작가였습니다. 또한 불의와 억압을 규탄하고 삶과 인간성을 찬양하기 위해 자신의 언어를 사용한 용기 있고 헌신적인 시민이었습니다. 그는 이렇게 말한 적이 있습니다: "나는 즐거움을 위해 글을 쓰지 않습니다. 나는 깨우기 위해 글을 씁니다.(Não escrevo por prazer. Escrevo para despertar.)"

나탈리아 코레이아
(1923 - 1993)

나탈리아 코레이아(Natália Correia)는 열정과 자유, 창의적인 삶을 살았던 포르투갈의 시인, 작가, 활동가였습니다. 1923년 9월 13일 아조레스 제도 상미겔 섬의 한 마을인 파자 드 바이슈(Fajã de Baixo)에서 태어났습니다. 부유한 상인이었으나 재산을 탕진하고 가족을 버린 마누엘 드 메데이로스 코레이아와 교양 있고 글을 읽을 줄 아는 초등학교 교사 마리아 조제 드 올리베이라 코레이아의 딸이었습니다. 나탈리아에게는 역시 작가가 된 언니 카르멘이 있었습니다.

나탈리아가 11살 때 아버지는 가족을 버리고 브라질로 가버렸고, 결국 어머니와 언니와 함께 리스본으로 이주하여 공립 학교인 리세우 필리파 드 랭카스터(Liceu D. Filipa de Lencastre)에 다녔습니다. 어린 시절부터 문학에 관심을 보여 22세에 첫 번째 책인 어린이 모험 소설을 출간했습니다. 아름다운 목소리를 가지고 있어 라디오에서 노래를 부르기도 했으며, 그곳에서 잠시 시인 안토니우 보투

(António Botto)를 만나 그녀의 시적 스타일에 영향을 미쳤습니다.

나탈리아 코레이아는 시, 소설, 드라마, 에세이, 번역, 저널리즘, 편집, 텔레비전 등 다양한 장르와 매체를 탐구한 다재다능하고 다작의 작가였습니다. 페르난두 페소아, 주제 사라마구, 에우제니오 드 안드라드, 소피아 드 멜루 브레이너 안드레센, 조르즈 아마두, 파블로 네루다, 시몬 드 보부아르(Simone de Beauvoir) 등 포르투갈 국내외의 많은 인물들과 협업했습니다. 또한 리스본의 예술 및 지적인 현장에서 활발한 활동을 펼쳤으며, 자신의 집과 나중에 자신의 술집인 보테쿼에서 논쟁적이고 활기찬 모임인 테툴리아를 주최하기도 했습니다.

나탈리아 코레이아는 강한 신념과 투쟁적인 정신을 가진 여성으로 안토니우 올리베이라 살라자르의 독재에 반대하고 민주주의, 문화, 인권, 여성의 권리를 옹호했습니다.

1979년 포르투갈 국회의원으로 선출되어 1991년까지 의원으로 활동했습니다. 의회에서 예술과 유산, 아조레스, 포르투갈어권 국가를 대변하는 목소리 높고 영향력 있는 의원이었습니다. 또한 아조레스의 지역 찬가인 '아조레스의 노래(Hino dos Açores)'의 작사가이기도 합니다. 보수적이고 가부장적인 상대방의 견해에 종종 도전하는 재치 있고 도발적인 연설로 유명했습니다. "나는 여자가 아니라 시인입니다."라고 말한 적이 있습니다.

나탈리아 코레이아는 네 번의 결혼과 많은 연인이 있었던 열정적이고 자유로운 영혼의 여성이었습니다. 1942년 변호사인 알바루 도스 산토스 디아스 페레이라와 결혼했지만 곧 이혼했습니다. 1949년에는 미국인 언론인 윌리엄 크레이튼 힐러와 결혼했지만 이 역시 얼마 지나지 않아 별거했습니다. 1953년에는 사업가인 알프레두 루이스 드 라게 마샤두와 결혼해 아들 마누엘을 낳았습니다. 1980년에 마샤두와 이혼하고 1990년에 시인이자 언론인인 도르디우 기마랑이스와 결혼했습니다.

나탈리아 코레이아의 시는 초현실주의, 갈리시아-포르투갈 시, 신비주의의 영향을 받은 풍부하고 다양한 스타일이 특징입니다. 사랑, 에로티시즘, 페미니즘, 역사, 신화, 영성 등의 주제를 탐구했습니다. 또한 당대의 사회적, 정치적 현실을 비판하기 위해 풍자와 유머를 사용하기도 했습니다. 대표적인 시로는 '마돈나(A Madona)', '오문클루(O Homúnculo)', '페코라(A Pécora)', '에후스 메우스(Erros Meus)', '마 포르투나(Má Fortuna)', '아모르 아르덴트(Amor Ardente)', '소네트 로맨티카(Sonetos Românticos)' 등이 있습니다.

나탈리아 코레이아의 소설 역시 사실주의와 판타지, 유머와 비극, 전통과 현대를 혼합한 혁신적이고 독창적인 작품이었습니다. 'A Ilha de Circe', 'O Encoberto', 'A Divina Bastarda' 등의 소설과 'As Núpcias', 'O Vinho e a Lira' 등의 단편 소설을 썼습니다. 또한 'O Encoberto', 'A Pécora', 'As Maçãs de Orestes' 등의 희곡을 집필했는데, 이 작품들은 종종 정권에 의해 검열되거나 금지되기도 했습니다.

나탈리아 코레이아는 1993년 3월 16일 리스본에서 69세의 나이로 사망했습니다. 리스본 프라제레스 묘지에 묻혔다가 2015년 아조레스 제도의 상 미겔 섬으로 옮겨졌습니다.

CESARINY

마리오 세자리니 (1923 - 2006)

마리오 세자리니(Mário Cesariny)는 포르투갈에서 초현실주의의 대표적인 인물로 널리 알려진 시인이자 화가입니다. 또한 다작의 앤솔로지스트, 편집자, 포르투갈 초현실주의 활동의 역사가로, 종종 논란과 도발적인 접근 방식을 취했습니다. 그의 삶은 예술적 실험, 정치적 이의 제기, 개인적 용기로 점철되었습니다.

마리오 세자리니 드 바스콘셀루스(Mário Cesariny de Vasconcelos)는 1923년 8월 9일 포르투갈 리스본에서 태어났습니다. 금세공사이자 사업가인 비리아투 드 바스콘셀로스와 스페인 출신으로 프랑스 태생이지만 원래 이탈리아계인 마리아 데 라스 메르세데스 세자리니의 막내이자 외동아들이었습니다. 그의 아버지는 아들이 자신의 뒤를 이어 보석 사업을 하길 바라는 지배적이고 실용적인 사람이었고, 어머니는 아들의 창의적인 관심사를 장려한 교양 있고 예술적인 여성이었습니다.

마리오 세자리니는 안토니우 아호이우 장식미술학교(Escola Artística António Arroio)를 다녔는데, 그곳에서 에칭을 공부하며 아르투르 두 크루제이루 세이샤스(Artur do Cruzeiro Seixas), 페르난두 주제 프란시스쿠(Fernando José Francisco), 안토니우 페드로 등 평생의 친구이자 협력자들을 만났습니다. 또한 작곡가 페르난두 로페스 그라사(Fernando Lopes Graça)에게 음악을 배워 재능 있는 피아니스트가 되었지만, 아버지의 반대로 음악 공부를 계속할 수 없었습니다. 이후 리스본 미술학교 예비 과정에 등록했지만 결국 다니지 않았습니다.

1947년 세자리니는 파리로 여행을 떠나 그랑드 쇼미에르 아카데미에 장학금을 받고 입학했습니다. 그곳에서 프랑스 초현실주의 운동의 수장인 앙드레 브르통(André Breton)을 만나 큰 영향을 받았습니다. 또한 파블로 피카소, 후안 미로, 막스 에른스트의 작업실을 방문하며 현대 미술의 최신 트렌드를 접했습니다.

리스본으로 돌아온 그는 알렉산드르 오닐, 주제 아우구스토 프란사, 칸디두 코스타 핀투, 베스페이라, 주앙 모니스 페레이라 등이 참여한 리스본 초현실주의 그룹의 창단을 주도했습니다. 멕시코나 카페에서 모임을 가졌던 이 그룹은 포르투갈 공산당이 주도한 신사실주의 운동과 예술적, 정치적 표현을 억압하고 검열한 올리베이라 살라자르의 파시스트 정권에 대한 자유주의적 저항의 형태로 등장했습니다.

세자리니는 예술적 비전이나 정치적 신념을 결코 타협하지 않은 불안하고 반항적인 영혼이었습니다. 공공연하고 용감하게 동성애자로 살았던 그는 포르투갈 비밀경찰인 PIDE로부터 부랑자 혐의

용의자로 끊임없이 괴롭힘과 박해를 받았습니다. 여러 차례 체포되어 모욕적인 심문을 받고 고문을 당하기도 했습니다. 1974년 포르투갈의 독재를 종식시키고 민주주의를 회복시킨 카네이션 혁명 이후에야 세자리니는 더 이상 경찰의 괴롭힘을 받지 않게 되었습니다. 또한 빈곤, 고립, 정신 질환으로 고통받았습니다.

마리오 세자리니는 2006년 11월 26일 포르투갈 리스본에서 지병으로 고통을 받아왔던 전립선암으로 83세의 나이로 사망했습니다. 그는 방대한 양의 시와 회화 유산뿐만 아니라 초현실주의와 관련된 책, 문서, 오브제 컬렉션을 남겼으며, 이는 쿠퍼티노 드 미란다 재단(Cupertino de Miranda Foundation)에 기증되었습니다. 프라제레스 묘지에 있는 그의 묘비에는 "여기 마리오 세자리니가 누워 있다. 그는 여기에도, 그 어디에도 있지 않다"라는 비문이 새겨져 있습니다.

ALEXANDRE O'NEILL

알렉산드르 오닐
(1924 - 1986)

알렉산드르 오닐(Alexandre O'Neill)은 1924년 12월 19일 포르투갈 리스본에서 아일랜드계 가문의 후손으로 태어났습니다. 그의 본명은 알렉산드르 마누엘 바이아 드 카스트로 오닐 드 불료이스(Alexandre Manuel Vahia de Castro O'Neill de Bulhões)였으나 필명으로 아버지의 성만 사용하기로 했습니다. 은행 직원과 주부인 부모는 그의 문학적 열망을 격려하지 않았습니다. 그에게는 세 살 많은 누나 마리아 아멜리아가 있었습니다.

오닐은 리스본에서 어린 시절과 청소년기를 보내며 사립학교를 다니다가 나중에 공립 고등학교를 다녔습니다. 그는 우수한 학생은 아니었지만 시와 문학에 큰 관심을 보였습니다. 17세 때 지역 신문인 '플로르 두 타메가'에 처음으로 시를 발표했습니다. 또한 여름 방학은 어머니의 고향인 아마란트(Amarante)에서 보냈는데, 그곳에서 시인 테이세이라 드 파수스를 만나 그의 시적 비전에 영향을 받았습니다.

1947년 오닐은 마리오 세자리니(Mário Cesariny), 페드로 움(Pedro Oom), 안토니우 마리아 리스보아(António Maria Lisboa) 등 젊은 시인들과 함께 리스본 초현실주의 운동에 참여했습니다. 이들은 언어와 이미지를 실험하며 콜라주, 자동 대화, 정교한 시체를 만들어냈습니다. 또한 살라자르의 독재와 가톨릭 교회에 대한 반대를 표현하며 당시의 사회적, 정치적 관습에 도전했습니다. 오닐은 반체제 활동으로 인해 정치 경찰인 PIDE에 여러 차례 체포되기도 했습니다.

1956년 오닐은 초현실주의 미학을 반영한 콜라주 모음집인 'Miraculous Ampoule'를 출간하며 첫 번째 책을 발표했습니다. 그러나 곧 이 리스본 초현실주의 운동이 지나치게 독단적이고 제한적이라고 느끼며 탈퇴했습니다. 그는 아이러니, 유머, 비판이 특징인 자신만의 시적 스타일을 발전시켰으며, 산문, 번역, 선집 등 다른 장르도 탐구했습니다. 세아라 노바, 타볼라 라둔다, 디아리우 드 리스보아 등 다양한 잡지와 신문과 협업했습니다.

오닐은 문학 작품만으로는 생계를 유지할 수 없었기 때문에 광고 대행사에서 카피라이터로도 일했습니다. 그는 포르투갈 역사상 가장 유명한 슬로건 중 일부를 책임졌는데, 예를 들어 국영 항공사 TAP의 "바다와 바다가 있고, 가고 오는 것이 있다(Há mar e mar, há ir e voltar)" 또는 우유 회사 미모사의 "한 잔 마시면 음식입니다(Beba um copo, é um alimento)" 등이 있습니다. 또한 징글과 라디오 및 텔레비전 스크립트를 쓰기도 했습니다.

오닐은 여러 차례의 연애와 결혼으로 점철된 격동의 개인사를 보냈습니다. 그는 두 번 결혼하여 아들 둘을 두었습니다. 첫 번째 부인은 1957년 포르투갈 영화 감독 노에미아 델가도(Noémia Delgado)와 결혼해 아들 알렉산드르 델가도 오닐을 낳았는데, 훗날 그는 사진작가가 되었습니다. 두 번째 부인은 1971년에 결혼해 1981년에 이혼한 정치인 테레자(Teresa Patrício de Gouveia)였습니다. 그들은 아들 아폰수를 낳았습니다.

오닐은 포르투갈 20세기의 가장 중요하고 독창적인 시인 중 한 명으로 평가됩니다. 그는 1958년의 '덴마크 왕국(No Reino da Dinamarca)', 1961년의 '이미 숫자 옷을 입은 시간(As Horas Já de Números Vestidas)', 1960년의 '감시받는 포기(Abandono Vigiado)', 1965년의 '피아라 카비사(Feira Cabisbaixa)', 1972년의 '커튼과 유리 사이(Entre a Cortina e o Vidro)', 1978년의 '낚시하는 개구리(A Rã Pescadora)', 1980년의 '모양이 비슷한 것(Uma Coisa em Forma de Assim)' 등의 저서를 남겼습니다. 또한 1981년 포르투갈 문학 평론가 협회 평론상 등 여러 상을 수상했습니다. 그의 시적 목소리, 반항적인 정신, 인도주의적 가치를 존경하는 많은 세대의 작가와 예술가들에게 영향을 미쳤습니다.

오닐은 만성 천식과 심장 질환을 앓았는데, 이는 그의 건강과 기분에 영향을 미쳤습니다. 그는 1986년 8월 21일 리스본에서 61세의 나이로 사망했습니다. 벤피카 묘지에 묻힌 그의 묘비에는 그의 시 중 하나인 "여기 모든 것이었고 아무것도 아니었던 한 시인이 누워 있다(Aqui jaz um poeta / que foi tudo e não foi nada)"라는 비문이 새겨져 있습니다.

마리오 수아레스
(1924 - 2017)

마리오 수아레스(Mário Soares)는 포르투갈의 저명한 정치인이자 변호사로, 포르투갈의 독재에서 민주주의로의 전환에 핵심적인 역할을 했습니다. 그는 사회주의당(Partido Socialista)의 창당자이자 지도자였으며, 1974년 혁명 이후 최초의 총리이자 60년 만에 최초의 민간 대통령이었습니다. 또한 유럽 통합과 인권의 확고한 옹호자였습니다.

마리오 알베르투 노브레 로페스 수아레스(Mário Alberto Nobre Lopes Soares)는 1924년 12월 7일 포르투갈 리스본에서 태어났습니다. 아버지 주앙 로페스 소아레스는 자유주의 공화주의자로 안토니우 올리베이라 살라자르의 권위주의 정권에 반대하다가 종종 투옥되거나 유배되었습니다. 어머니 엘리사 노브레 바티스타는 교사이자 페미니스트 활동가였습니다. 마리오 소아레스는 정치적으로 참여적인 가정에서 성장했으며 아버지가 설립한 콜레지오 모데르

노와 같은 진보적인 학교에 다녔습니다. 그는 리스본 대학과 파리의 소르본 대학에서 공부하며 학생 운동과 반파시스트 단체에 참여했습니다. 1951년 역사와 철학, 1957년 법학으로 졸업했습니다.

수아레스는 정치범과 반체제 인사를 변호하며 변호사로 경력을 시작했습니다. 1949년 포르투갈 공산당(PCP)에 가입했지만 이념적 차이로 곧 탈당했습니다. 1964년에는 포르투갈 사회주의 행동(ASP)의 창립 멤버 중 한 명으로, 독재 정권을 전복하고 민주적이고 사회주의적인 정권을 수립하는 것을 목표로 하는 비밀 조직이었습니다. ASP는 나중에 1973년에 수아레스가 사무총장을 맡은 포르투갈 사회주의당(PSP)이 되었습니다. 그는 12번 체포되고 두 번 유배되어 상투메 프린시페와 프랑스에서 시간을 보냈습니다.

수아레스는 1974년 카네이션 혁명 이후 포르투갈로 돌아왔습니다. 카네이션 혁명은 군사 쿠데타로 독재를 종식시키고 민주화 과정을 시작한 사건입니다. 그는 임시 정부의 외무장관이 되어 앙골라, 모잠비크, 기니비사우 등 포르투갈의 아프리카 식민지의 독립을 협상했습니다. 또한 포르투갈의 유럽경제공동체(EEC) 가입을 지지했습니다. 1975년에는 군의 급진 좌파 분파와의 갈등으로 인해 정부에서 사임했습니다. 그런 다음 1976년 최초의 자유 선거에서 PSP를 승리로 이끌어 최초의 헌법 정부의 총리가 되었습니다. 그는 경제 위기, 사회 불안, 공산당의 정권 탈취 위협 등 많은 도전에 직면했습니다. 그는 중도우파인 사회민주당(PSD)과 연립 정부를 구성하고 은행과 산업의 국유화, 토지 개혁, 사회복지 확대 등 일련의 개혁을 시행했습니다. 또한 포르투갈의 민주주의와 EEC 편입을 공고히 했습니다. 1978년에는 의회의 다수당 지위를 상실한 후 사임했습니다.

1983년에 돌아온 수아레스는 민주사회중심(CDS)과 중도좌파 연립정부를 이끌었습니다. 그는 1985년 유럽경제공동체(EEC) 가입 조약에 서명하며 친유럽적이고 개혁적인 의제를 계속 추진했습니다. 또한 긴축 조치를 도입하고 경제를 자유화함으로써 부채 위기, 실업, 인플레이션 문제를 해결했습니다. 1985년에는 의회 신임을 잃은 후 사임했습니다.

1986년, 수아레스는 국가원수인 공화국 대통령에 출마하여 보수 후보 디오구 프레이타스 두 아마랄(Diogo Freitas do Amaral)을 근소한 차이로 누르고 당선되었습니다. 그는 1926년 이후 60년 만에 최초의 민간 대통령이 되어 군사적 영향력에 종지부를 찍었습니다. 그는 1991년 압도적인 다수로 재선되었습니다. 대통령으로서 그는 총리와 의회의 역할을 존중하며 절제와 균형을 가지고 권한을 행사했습니다. 그는 두 번의 임기를 마친 후 1996년에 퇴임했습니다.

대통령직에서 물러난 후에도 수아레스는 활발한 공직 생활을 이어갔습니다. 1999년부터 2004년까지 유럽의회 의원으로 활동하며 이스라엘 대표단의 의장을 맡았습니다. 81세였던 2006년에 다시 대통령 선거에 출마했지만 3위로 낙선했습니다. 2016년 아내 사망 후 지병이 악화되어 오랜 투병생활을 하다가 2017년 1월 7일 92세의 나이로 리스본에서 사망했습니다. 그는 자신의 말대로 "천성적인 반역자, 신념에 찬 민주주의자, 선택에 의한 사회주의자"였습니다.

JOSÉ CARDOSO PIRES

주제 카르도주 피레스 (1925 - 1998)

주제 카르도주 피레스(José Cardoso Pires)는 소설, 단편 소설, 희곡, 정치 풍자 등에서 정체성, 기억, 역사라는 주제를 탐구한 포르투갈의 작가입니다. 그는 1925년 10월 2일 스페인 국경 근처 카스텔루브랑쿠 주에 있는 작은 마을 상 주앙 두 페주(São João do Peso)에서 태어났습니다. 그의 아버지는 상선 해군 장교였고 어머니는 주부였습니다. 그에게는 여동생 마리아와 남동생 안토니우(군복무 중 항공사고로 사망)가 있었습니다.

피레스는 어렸을 때 가족과 함께 리스본으로 이주하여 강한 애착을 갖게 되었고, 이 도시는 그의 많은 작품의 배경이자 영감이 되었습니다. 그는 카몽이스 고등학교에 다니며 호물루 드 카르발류(Rómulo de Carvalho)와 델핌 산토스(Delfim Santos)와 같은 영향력 있는 스승을 만났습니다. 또한 학생 잡지에 첫 단편 소설을 발표하기도 했습니다. 수학을 전공하기 위해 과학대학에 입학했지만 학위를 끝내지는 못했습니다. 대신 포르투갈 해군에 파일럿 훈련생으로 입대했지만 곧 징계 사유로 전역했습니다.

피레스는 이후 저널리스트와 작가로 활동하며 Diário de Lisboa, Gazeta Musical e de Todas as Artes, Afinidades 등 다양한 신문과 잡지에서 일했습니다. 또한 유명 작가들의 작품을 출간한 예술판 Fólio를 편집하기도 했습니다. 여기에는 아퀼리누 리베이루, 사무엘 베케트, 윌리엄 포크너, 블라디미르 마야코프스키 등의 작품이 포함되어 있습니다. 또한 루이스 스타우 몬테이루, 알렉산드르 오닐, 바스코 풀리도 발렌테, 아우구스토 아벨라이라, 주제 쿠티리에루 등 저명한 지식인들의 기고를 담은 잡지 Almanaque을 창간하기도 했습니다.

피레스는 1949년에 "순례자와 다른 이야기들(Os Caminheiros e Outros Contos)"이라는 단편집으로 문학계에 데뷔했습니다. 이후 "사랑 이야기"(1952), "도박 게임"(1963), "욥의 손님"(1963) 등의 단편집을 발표했습니다. 또한 희곡 "영웅의 굴복(O Render dos Heróis)"(1960)과 풍자 소책자 "마리아 알바 교리서(Cartilha do Marialva)"(1960)도 집필했습니다. 그의 첫 소설인 "닻을 내린 천사(O Anjo Ancorado)"(1958)는 신사실주의에서 모더니즘으로의 전환을 알리는 획기적인 작품으로, 정체성과 리스본과의 관계로 고민하는 보헤미안 작가의 심리적 초상을 그린 작품입니다.

피레스는 1968년에 발표한 대표작 "O Delfim"으로 큰 성공과 명성을 얻었습니다. 이 소설은 포르투갈의 한 시골 귀족 가문이 몰락하고 새로운 사회 질서가 부상하는 모습을 복잡하고 상징적으로 그린 작품입니다. 안토니우 올리베이라 살라자르의 독재 치하에 있던 포르투갈의 정치적, 사회적 상황을 반영하기도 합니다. 이 소설은 2002년 페르난두 롭스 감독에 의해 영화로 제작되었습니다.

피레스는 포르투갈의 역사적, 문화적 차원을 탐구하는 소설을 계속해서 썼습니다. 예를 들어 "가장 훌륭한 공룡(O Dinossauro Excelentíssimo)"(1972)은 살라자르 정권을 풍자한 작품이고, "그리고 지금 주제(E Agora José)"(1977)는 시인 주제 사라마구에게 바치는 헌사이며, "개 해변의 발라드(Balada da Praia dos Cães)"(1982)는 에스타두 노부의 부패와 폭력을 폭로한 실제 범죄를 바탕으로 한 스릴러입니다. 또한 1995년 뇌졸중으로 쓰러진 후 회복 과정을 회고한 회고록 "De Profundis, Valsa Lenta"(1997)도 집필했습니다. 이 회고록은 페소 상, 비평상, 디니스 대공상 등 여러 상을 수상했습니다.

피레스는 1998년 10월 26일 리스본에서 73세의 나이로 사망했습니다. 그는 당대 포르투갈에서 가장 영향력 있고 존경받는 작가 중 한 명으로, 라틴 문학 연합상, 보르달루 문학상, 문학생활대상(Grande Prémio Vida Literária APE/CGD) 등 많은 명예와 표창을 받았습니다. 또한 자유의 기사단과 엔히크 왕자 기사단 훈장도 받았습니다. 그의 작품은 여러 언어로 번역되었고 많은 각색과 연구에 영감을 주었습니다. 그는 포르투갈 문화와 정체성의 본질과 다양성을 포착한 리스본과 그 너머의 작가로 기억되고 있습니다.

Cais Terminal
CARLOS PAREDES

카를로스 파레데스 (1925 - 2004)

카를로스 파레데스(Carlos Paredes)는 역대 최고의 포르투갈 기타 연주자이자 작곡가로 꼽히는 거장으로, 포르투갈 문화의 상징이자 살라자르 독재 정권 하에서 투옥과 박해를 겪은 포르투갈 공산당의 투사였습니다. 그의 음악은 코임브라와 리스본의 전통에 영향을 받아 그의 민족의 영혼과 조국의 아름다움을 표현했습니다.

카를로스 파레데스는 1925년 2월 16일 코임브라에서 기타 연주 전통이 깊은 가정에서 태어났습니다. 그의 아버지 아르투르 파레데스는 코임브라 출신의 명망 있는 포르투갈 기타 연주자로, 카를로스가 네 살 때 기타 연주를 가르쳤습니다. 그의 할아버지 곤살루 파레데스, 종조부 마누엘 파레데스, 고조부 안토니우 파레데스도 기타 연주자였습니다. 카를로스 파레데스는 선조들로부터 기타에 대한 열정과 재능을 물려받았지만, 자신만의 스타일과 기술을 개발하여 독보적이고 독창적인 연주를 선보였습니다.

1934년 아홉 살 때 가족과 함께 리스본으로 이주하여 음악 교육을 계속 받았습니다. 주앙 드 데우스 학교와 파수스 마누엘 학교(Liceu Passos Manuel)에 다니며 바이올린과 피아노 레슨을 받았습니다. 또한 포르투갈 청년음악회에 가입하여 성악 수업을 받기도 했습니다. 하지만 그의 주된 관심사는 항상 기타였습니다. 그는 아버지와 함께 포르투갈 공영 라디오 방송국에서 매주 쇼를 진행했습니다.

1949년 리스본의 상 주제 병원(Hospital de São José) 행정직원으로 일하면서 음악 경력을 이어갔습니다. 1957년에는 "Variações em Ré Menor"와 "Variações em Lá Menor" 등 그의 가장 유명한 곡들이 수록된 '카를로스 파레데스'라는 첫 앨범을 녹음했습니다. 또한 포르투갈 영화 '녹색 시대(Os Verdes Anos)'(1963)의 사운드트랙을 비롯해 수많은 영화와 연극의 사운드트랙을 작곡하기도 했습니다. 이 사운드트랙에는 그의 유명한 곡인 '녹색 시대(Verdes Anos)'이 수록되어 있습니다.

파레데스는 안토니우 살라자르의 에스타두 노부 정권에 대한 신중한 저항과 정치적 반대의 환경에서 자랐습니다. 1958년에는 당시 포르투갈에서 불법 조직이었던 포르투갈 공산당에 가입했습니다. 그는 1958년 정부에 반대하는 불법 정당에 소속되었다는 혐의로 정치 경찰인 PIDE에 체포되었습니다. 18개월 동안 수감 생활을 하며 머릿속으로 음악을 작곡했습니다. 1959년에 석방되었지만 직장에서 쫓겨나고 정권의 블랙리스트에 올랐습니다. 그는 계속해서 음악을 연주하고 작곡했지만 검열과 탄압에 직면했습니다. 그는 공공장소에서 연주하는 것이 금지되었고, 그의 음반은 종종 압수되거나 파괴되었습니다. 또한 경찰의 괴롭힘과 협박에 시달리며 그와 그의 가족을 위협하기도 했습니다.

이러한 어려움에도 불구하고 파레데스는 음악과 이상을 포기하지 않았습니다. 그는 용기와 예술을 존경하는 많은 포르투갈 사람들에게 저항과 희망의 상징이 되었습니다. 또한 프랑스, 독일, 이탈리아, 스페인, 브라질, 앙골라, 모잠비크, 일본 등 전 세계 수많은 국가에서 공연하며 국제적으로도 유명해졌습니다. 그는 산티아고 다 에스파다 훈장, 엔히크 왕자 훈장, 자유의 기사단 훈장 등 여러 상과 명예를 받았습니다. 또한 1994년 노벨 평화상 후보에 오르기도 했습니다.

파레데스는 신경계와 기타 연주 능력에 영향을 미치는 퇴행성 질환을 앓았습니다. 그는 1993년 리스본에서 열린 마지막 콘서트를 끝으로 연주를 중단했습니다. 2004년 7월 23일 79세의 나이로 사망하며 음악과 영감의 유산을 남겼습니다. 수천 명의 사람들이 그의 장례식에서 그에게 경의를 표하며 애도했습니다. 그는 리스본의 프라제레스 공동묘지에 묻혔습니다.

카를로스 파레데스는 포르투갈 기타의 거장이자 시대를 초월한 멜로디의 작곡가였으며, 자유와 정의를 위해 싸운 투사였습니다. 그는 자신의 나라와 문화를 사랑한 민중의 사람이었습니다. 그는 자신의 악기로 새로운 언어를 창조한 천재로, 청자의 마음과 정신에 말을 거는 언어를 만들어냈습니다. 그가 말했듯이 그는 "기타를 연주하는 사람이자 음악을 사랑하는 사람"이었습니다.

JULIO POMAR

줄리오 포마르 (1926 - 2018)

줄리오 포마르(Júlio Pomar)는 20세기 포르투갈에서 가장 영향력 있고 다재다능한 예술가 중 한 명이었습니다. 1926년 1월 10일 리스본에서 태어났으며 어린 시절부터 그림과 회화에 재능을 보였습니다. 안토니우 아호이우 학교(Escola Artística António Arroio)를 다니며 현대 미술과 사회 문제에 관심을 가진 젊은 예술가들을 만났습니다. 1942년 리스본 미술학교에 입학했지만 곧 포르투 미술학교로 전학하여 보수적인 예술계에 도전하는 독립 화가 그룹에 가입했습니다. 또한 안토니우 드 올리베이라 살라자르의 독재에 반대하는 정치적 반대 운동에 참여하여 공산당 청년동맹과 민주통일운동에 가입했습니다.

포마르의 예술 경력은 제2차 세계대전 이후 포르투갈에서 등장하여 노동자 계급과 억압받는 사람들의 가혹한 현실을 묘사하고자 했던 네오 리얼리즘 운동에 대한 헌신으로 특징지어집니다. 그는

1946년부터 1956년까지 열렸던 일반조형미술전의 주요 조직자이자 전시자 중 한 명으로, 포르투갈의 네오 리얼리즘 회화를 대표하는 작품들을 선보였습니다. 또한 1950년 베니스 비엔날레와 1953년 상파울루 비엔날레 등 여러 국제 전시회에 참가했습니다. 이 시기 그의 대표작으로는 도시와 강이 내려다보이는 옥상에서 소박한 식사를 하는 건설 노동자를 그린 대형 캔버스 작품인 '트롤랴의 점심(O almoço do trolha)'이 있습니다. 이 그림은 사회 비판과 인간 존엄성에 대한 강력한 선언이었으며, 포마르가 존경했던 브라질 화가 칸디두 포르티니의 영향을 받았습니다.

포마르의 네오 리얼리즘 시기는 또한 그의 작품을 압수하고 포르투의 바탈랴 극장(Cine-Teatro Batalha)에 있던 벽화를 파괴했으며 1947년 4개월 동안 그를 체포했던 정치 경찰의 탄압으로 얼룩졌습니다. 또한 교사와 언론인으로서 일자리를 찾는 데 어려움을 겪었으며, 공식 매체와 기관에 의해 종종 검열되거나 보이콧당했습니다. 1948년 민주야당의 대통령 후보였던 주제 노통 드 마토스(José Norton de Matos) 장군의 초상화나 1950년대 후반 알제리 독립 전쟁에 영감을 받은 일련의 드로잉과 회화 작품 등을 통해 자신의 정치적 견해를 계속해서 표현했습니다.

1963년 포마르는 대부분의 생애를 보내게 될 파리로 이주했습니다. 그곳에서 그는 새로운 예술적, 문화적 환경을 접하고 추상, 콜라주, 아상블라주, 조각, 도자기 등 다양한 스타일과 기법을 실험했습니다. 또한 에로티시즘, 신화, 문학, 자기 참조 등 새로운 주제와 영감의 원천을 탐구했습니다. 그는 결코 사실주의적 접근 방식을 버리지 않았지만, 네오 리얼리즘의 제약에서 벗어나 더욱 개인적이고 표현적인 언어를 발전시켰으며, 활기찬 색상, 역동적인 형태, 장난기 넘치는 구성이 특징입니다. 또한 포르투갈 식민지 전쟁, 카네이션 혁명, 에이즈 전염병 등 사회적, 정치적 이슈에 대한 관심을 유지했습니다.

포마르의 작품은 포르투갈 국내외에서 널리 인정받고 갈채를 받았습니다. 1961년 칼루스테 굴벤키안 재단에서 회화 대상, 1982년 자유의 기사단 훈장, 1995년 공로 훈장, 2004년 산티아고 다 에스파다 기사단 훈장 등 여러 상과 명예를 받았습니다. 또한 칼루스테 굴벤키안 박물관, 세랄베스 박물관, 베라도 컬렉션 박물관, 상파울루 미술관, 리우데자네이루 근대미술관, 퐁피두 센터 등 권위 있는 박물관과 갤러리에서 수많은 전시회를 개최했습니다. 또한 리스본 메트로역 알투 도스 모이뉴스(Alto dos Moinhos)의 벽화 등 여러 공공 예술 작품을 제작하기도 했습니다.

포마르는 2018년 5월 22일 92세의 나이로 리스본에서 사망했습니다. 그는 예술과 삶에 대한 열정, 호기심과 창의성, 용기와 저항을 반영하는 풍부하고 다양한 유산을 남겼습니다. 포르투갈 대통령 마르셀루 헤벨로 드 소우자(Marcelo Rebelo de Sousa)는 그를 "포르투갈 문화의 참고서이자 자유와 민주주의를 위해 싸운 투사"라고 표현했습니다.

DAVID MOURÃO-FERREIRA

다비드 무라옹 페레이라 (1927 - 1996)

다비드 무라옹 페레이라(David Mourão-Ferreira)는 문학, 문화, 교육 분야에서 놀라운 유산을 남긴 포르투갈의 작가이자 시인입니다. 1927년 2월 24일 리스본에서 소박한 가정에서 태어났습니다. 그의 아버지는 국립 도서관장의 비서관이었고 어머니는 알렌테주 지역의 한 농촌 마을 출신이었습니다.

다비드 무라옹 페레이라는 아버지의 책과 리스본의 문화적 분위기에 영향을 받아 어린 시절부터 문학과 시에 관심을 보였습니다. 모던 칼리지에 다니며 안토니우 마누엘 쿠토 비아나(António Manuel Couto Viana)와 루이스 드 마세두(Luís de Macedo) 등 평생의 친구이자 협력자들을 만났습니다. 또한 포르투갈 전통 노래 장르인 파두(fado)를 비롯한 음악에도 열정을 키웠습니다.

1945년 리스본 대학교 문학부에 입학하여 로망스어 문헌학을 공부했습니다. 1951년 포르투갈 시인 세자리우 베르드(Cesário Verde)

에 관한 논문으로 졸업했습니다. 1958년 조교가 되었고 1973년에는 정교수가 되었습니다.

1950년 쿠토 비아나, 마세두와 함께 문학 잡지 '타볼라 흐돈다(Távola Redonda)'를 창간하고 공동 편집을 맡으며 문학 경력을 시작했습니다. 이 잡지는 당시 포르투갈 문학계를 지배하던 사회적, 정치적 시와 대비되는 서정적이고 개인적인 시를 장려하는 것을 목표로 했습니다. 첫 번째 시집 '여름의 폭풍우(Tempestade de Verão)'는 1954년에 출간되어 델핌 기마랑이스 상을 수상했습니다. 이후 '시간의 네 모서리(Os Quatro Cantos do Tempo)(1958)', '불의 교훈(As Lições do Fogo)(1976)', '나뭇가지와 노(Os Ramos e os Remos)(1985)' 등 여러 시집을 출간했습니다. 그의 시 작품은 세련된 언어, 음악적 리듬, 관능적인 이미지, 향수적이고 실존적인 어조가 특징입니다.

주로 단편 소설과 소설을 집필하며 소설도 썼습니다. 첫 소설집 '육지 위의 갈매기 소설(Novelas de Gaivotas em Terra)'는 1959년에 출간되어 리카르도 말레이로스 상을 수상했습니다. 가장 호평받은 소설 '행복한 사랑(Um Amor Feliz)'은 1986년에 출간되어 포르투갈 작가협회 장편소설 대상, 디니스 상, 펜클럽 상, 자킨토 두 프라두 코엘류 상 등 여러 상을 수상했습니다. 그의 소설 작품은 사랑, sexuality, 기억, 정체성, 죽음 등의 주제를 사실적이고 심리적인 접근 방식으로 탐구합니다.

그는 또한 다작의 에세이스트, 평론가, 번역가, 편집자였습니다. 문학, 문화, 예술, 음악 등 다양한 주제에 관한 에세이를 썼습니다. 셰익스피어, 라신, 보들레르, 랭보, 카뮈 등의 작품을 번역했습니다. 20세기 포르투갈 시선집(1969), 페르난두 페소아 전집(1986-1990)

등 여러 포르투갈 문학 선집과 전집을 편집했습니다. 또한 <Diário Popular>, <Seara Nova>, <A Capital>, <O Dia> 등 신문과 잡지에도 기고했습니다.

그는 또한 포르투갈의 문화적, 정치적 삶에도 참여했습니다. 1963년부터 1973년까지 포르투갈 작가 협회의 사무총장을 역임했습니다. 1974년부터 1976년까지 마리아 2세 국립극장의 감독을 맡았습니다. 1976년부터 1978년까지, 1979년 두 정부에서 문화부 장관을 역임했습니다. 1986년부터 1988년까지 포르투갈 작가 협회의 회장을 역임했습니다. 1989년부터 1996년까지 포르투갈어권에서 가장 권위 있는 문학상인 카몽이스 상의 심사위원장을 맡기도 했습니다.

특히 파두 장르에서 포르투갈 음악계의 저명한 인물이었습니다. 아말리아 로드리게스, 카를루스 도 카르모, 카마네, 마리자 등 여러 파두 가수들에게 가사를 써주었습니다. 그의 가장 유명한 파두 곡으로는 '검은 배(Barco Negro)', '마리아 리스보아(Maria Lisboa)', '내 거리에 해가 뜨네(Anda o Sol na Minha Rua Nome de Rua)', '페니셰의 파두(Fado Peniche)' 등이 있습니다. 또한 팝, 록, 재즈 등 다른 음악 장르의 가사도 썼습니다. 1965년, 1969년, 1971년, 1976년에 작사가로 네 차례 유로비전 송 콘테스트에 참가하기도 했습니다.

1996년 6월 16일 오랜 투병 끝에 69세의 나이로 리스본에서 사망했습니다. 그의 무덤은 프라제레스 묘지에 있습니다. 리스본의 Parque das Nações에 그의 이름을 딴 도서관이 있으며 이탈리아 바리의 루시타니아 연구 센터에 그에게 헌정된 기념관이 있습니다.

주앙 아벨 만타 (1928)

주앙 아벨 만타(João Abel Manta)는 예술, 문화, 정치 분야에 큰 유산을 남긴 포르투갈의 건축가, 화가, 일러스트레이터, 만화가였습니다. 1928년 1월 29일 리스본에서 화가인 아벨 만타와 마리아 클레멘티나 카르네이루 드 무라 만타의 외아들로 태어났습니다. 그는 산타 아마루 드 오에이라스(Santo Amaro de Oeiras)에서 성장하며 부모님의 친구들인 마누엘 멘데스와 아킬리누 리베이루 등의 지식인과 예술가 서클과 어울렸습니다. 또한 부모님과 함께 스페인, 영국, 네덜란드, 프랑스, 이탈리아를 여행하며 예술적 감성과 호기심을 키웠습니다.

1945년 리스본 미술학교에 입학하여 건축을 전공하며 롤란도 사 노게이라(Sá Nogueira), 주제 디아스 코엘류(José Dias Coelho) 등의 동료 학생들과 친해졌습니다. 1951년에 졸업하고 알베르토 페소아(Alberto Pessoa), 에르나니 간드라(Hernâni Gandra)와 함께 건축가로 일하기 시작했습니다. 리스본의 아베니다 인판트 산투에 있는 아파트 블록 등 여러 프로젝트를 담당했으며, 이 프로젝트로 1957년 시 건축상을 수상했습니다. 또한 우표, 포스터, 모자이크, 태피스트리, 도자기를 디자인하고 주제 카르도주 피레스(José Cardoso Pires)의 "마리아 알바 교리서(A cartilha do marialva)"와 같은 책에 삽화를 그렸습니다. 그는 칼루스트 굴벤키안 재단 본부의 노블 홀에 있는 태피스트리의 작가이기도 합니다.

하지만 만타는 살라자르와 마르셀로 카에타노의 독재 정권 치하의 포르투갈의 건축의 한계와 사회적, 정치적 상황에 만족하지 못했습니다. 그는 점차 건축을 버리고 포르투갈 현실에 대한 비판적이고 풍자적인 시각을 표현하는 회화, 드로잉, 만화에 전념했습니다. 그는 MUD 청년회와 같은 반대 운동에 참여했으며 검열과 정권에 도전하는 여러 전시회와 출판물에 참여했습니다. 그는 여러 차례 정치 경찰(PIDE)에 체포되어 심문을 받았지만 예술적, 시민적 헌신을 포기하지 않았습니다.

1961년 칼루스테 굴벤키안 재단 제2회 조형미술전 드로잉 부문 수상, 1965년 라이프치히 국제그래픽아트전 은메달 수상, 1988년 스튜어트-레지콘타상 수상 등 국내외에서 여러 상을 수상했습니다. 포르투갈 국내외에서 수많은 그룹 전시회에 참여했으며, 1971년 리스본의 Galeria Interior, 1976년 런던의 현대미술연구소(ICA), 1992년 리스본의 하파엘 보르달루 피네이루 박물관, 1999년 카스카이스 문화 센터, 2009년 리스본의 팔라시오 갈베이아스(Palácio Galveias) 등에서 다수의 개인전을 개최했습니다. 2021년에는 카스카이스 요새에서 대규모 회고전이 열렸습니다.

만타는 1954년부터 1991년까지, 특히 1969년과 1976년 사이에 가장 활발하게 작품을 발표한 만화로 유명합니다. 그는 <디아리오 데 리소>, <디아리오 데 노티시아스>, <오 조르날> 등의 신문과 협업하며 독특하고 꼼꼼한 그래픽 품질로 당시의 사회적, 정치적 이슈를 묘사했습니다. 그는 독재 정권의 억압, 부패, 불평등을 규탄하고 민주주의와 자유를 위한 민중의 희망과 투쟁을 기념하기 위해 유머, 풍자, 상징주의를 사용했습니다. 또한 베트남 전쟁, 냉전, 아랍-이스라엘 분쟁, 유럽 통합 등 국제적인 사건에 대해서도 논평했습니다. 많은 사람들이 그를 "[20세기] 포르투갈 만화 드로잉의 가장 놀라운 사례"로 꼽으며 "보르달루 피네이루와 어깨를 나란히 할 정도의 수준'이라고 평가했습니다.

1974년 카네이션 혁명으로 독재 정권이 종식되고 민주적 전환이 시작된 후에도 만타는 만화를 계속 제작했지만 빈도나 강도는 줄어들었습니다. 그는 도시, 풍경, 역사, 기억, 포르투갈의 정체성 등의 주제를 탐구하는 회화에 더 집중했습니다. 또한 추상, 표현주의, 콜라주, 혼합 매체 등 다양한 스타일과 기법을 실험했습니다. 그는 풍부한 색채, 형태, 의미로 가득한 독창적인 언어를 만들어내어 자신의 예술적, 인간적인 여정을 반영했습니다.

그는 산티아고 다 에스파다 기사단, 자유의 기사단 등 여러 훈장을 받았으며 국립미술원과 포르투갈 작가협회 회원이기도 했습니다. 그는 방대한 다양한 작품을 남겼으며, 이는 그의 재능, 창의성, 용기를 증명하고 포르투갈 문화와 사회에 귀중한 기여를 한 것으로 평가됩니다.

하울 솔라두 (1929 - 2009)

하울 솔라두(Raul Solnado)는 재치 있고 독창적인 유머로 여러 세대의 사람들을 웃게 만든 포르투갈의 배우, 코미디언, 텔레비전 진행자였습니다. 1929년 10월 19일 리스본의 마드라고아 지역에서 태어났으며, 그곳에서 처음으로 연극에 대한 열정을 발견했습니다. 1947년 길에르므 코소울 교육협회(Sociedade de Instrução Guilherme Cossoul)에서 경력을 시작했고 1952년에 프로 배우가 되었습니다.

그는 곧 사회적, 정치적 이슈를 풍자하는 코미디 장르인 레뷰 연극에서 인기 있는 인물이 되었습니다. 1953년 시립극장에서 열린 쇼 "Viva O Luxo"로 이 장르에 데뷔했으며, "그녀는 사장님을 좋아하지 않았다(Ela não Gostava do Patrão)"와 "세 명의 소년과 한 소녀(Três Rapazes e Uma Rapariga)"에도 출연했습니다. 또한 "칼다스의 신랑(O Noivo das Caldas)", "남편을 잃어버렸어(Perdeu-se um Marido)", "투우사의 피(Sangue Toureiro)", "왼쪽 다섯번 째 타잔(O Tarzan do

Quinto Esquerdo)" 등 여러 영화에도 출연했습니다.

1960년에는 시립극장에서 열린 연극 "찰리 이모"에서 주연을 맡았고, 영화 "미스터 교장의 제자들(As Pupilas do Senhor Rector)"에 출연하여 S.N.I. 어워드를 수상했습니다. 또한 기업가로도 활동하며 시네마테아트로 카피톨리오를 운영하며 레뷰 "인생은 아름다워(A Vida é Bela)"를 제작하고 공연했습니다1.

그러나 1961년 스페인 코미디언 미겔 힐라의 작품을 각색한 스케치 "1908년 전쟁(A Guerra de 1908)"으로 가장 큰 성공을 거두었습니다. 마리아 비토리아 극장에서 열린 레뷰 "발을 탭하세요(Bate o Pé)"의 일부였던 이 스케치는 적에게 휴전 협상을 요청하는 군인의 유쾌한 독백이었습니다. 이 스케치는 힐라의 또 다른 작품인 "내 인생 이야기(A História da Minha Vida)"와 함께 싱글로 녹음되어 발매되었으며, 당시 100,000장 이상의 판매고를 올리며 기록을 세웠습니다. 이 스케치는 포르투갈 유머의 고전이 되었으며 오늘날에도 널리 인용되고 모방되고 있습니다.

솔라두는 "그건 적의 것이야(É do Inimigo)", "적의 음악회(Concerto do Inimigo)", "병원 가기(Ida ao Médico)", "거짓말 하자(Vamos Contar Mentiras)" 등 많은 다른 코미디 작품을 만들고 공연을 계속했습니다. 또한 주제 에네스토 드 소우자의 네오리얼리즘 영화 "Dom Roberto"에서 최우수 남우주연상을 수상한 것처럼 보다 진지한 역할에도 도전했습니다. 그는 포르투갈과 브라질에서 라디오, 연극, 텔레비전 등 다양한 분야에서 활동했습니다.

1969년에는 카를로스 크루즈, 피알호 구베이아와 함께 포르투갈 최초의 토크쇼인 "Zip Zip"을 진행했습니다. RTP에서 방영된 이

쇼는 유머와 음악, 유명인 및 정치인 인터뷰를 결합한 획기적이고 영향력 있는 프로그램이었습니다. 이 프로그램은 당시 집권 중이던 살라자르의 독재 정권에 대한 미묘한 비판이기도 했습니다.

솔나두는 또한 테아트로 빌라렛의 설립자이자 매니저로서 "경감 제랄(O Inspector Geral)", "오 아바렌토(O Avarento)", "오 미산트로포(O Misantropo)", "아호이우스에서 온 미친 소녀(A Maluquinha de Arroios)" 등 많은 연극을 제작하고 연기했습니다. 또한 마리아 2세 국립극장, 아베르투 극장, 트린다드 극장 등 다른 극장들과도 협력했습니다.

솔라두는 문화공로훈장(1990년), 항해왕 엔히크 왕자 훈장(1982년과 2004년), 골든글로브 남우주연상(2005년) 등 예술적 경력을 인정받아 많은 영예와 상을 받았습니다. 또한 자선사업가로서 에이즈 퇴치, 동물 보호, 문화 진흥 등의 활동을 지원하기도 했습니다.

2009년 8월 8일 리스본에서 심장병으로 79세의 나이로 세상을 떠났습니다. 그는 여러 세대의 포르투갈 사람들에게 영감과 즐거움을 선사한 유머와 재능의 유산을 남겼습니다. 그를 겸손하고 관대하며 훌륭한 사람으로 기억하는 동료, 친구, 팬들은 그를 널리 애도하고 추모했습니다. 그는 리스본의 프라제레스 공동묘지에 수천 명의 사람들이 지켜보는 가운데 묻혔습니다. 그는 스스로 말했듯이 "사람들을 행복하게 만든 행복한 사람"이었습니다.

프란시스쿠 사 카르네이루 (1934 - 1980)

프란시스쿠 사 카르네이루(Francisco Sá Carneiro)는 포르투갈의 독재에서 민주주의로 전환하는 데 핵심적인 역할을 한 포르투갈 정치인입니다. 그는 사회민주당(PSD)의 창당자이자 지도자였으며 1980년 비행기 추락 사고로 비극적인 죽음을 맞이할 때까지 11개월 동안 포르투갈의 총리를 지냈습니다.

사 카르네이루는 1934년 7월 19일 포르투에서 부유하고 영향력 있는 집안의 다섯 자녀 중 셋째로 태어났습니다. 그의 아버지는 변호사였고 어머니는 스페인 백작의 딸이었습니다. 그는 가톨릭적이고 보수적인 환경에서 자랐지만 사회 정의에 대한 감각과 정치에 대한 열정을 키웠습니다.

리스본 대학교에서 법학을 공부하고 1956년에 졸업했습니다. 그 후 포르투에 법률 사무소를 열어 정치범을 변호하고 안토니우 데 올리베이라 살라자르의 권위주의 정권에 반대하는 활동을 펼쳤습니다. 1957년 이사벨 마리아 페레이라 누네스 데 마토스와 결혼하여 슬하에 다섯 자녀를 두었습니다.

1969년, 그는 살라자르의 후계자 마르셀루 카이타노 정권의 민주화를 위해 노력한 개혁파 의원들로 구성된 자유당 소속 의원으로 국회에 선출되었습니다. 1973년에는 정권의 야당 탄압에 항의하며 다른 자유당 의원들과 함께 사임하기도 했습니다.

1974년 카네이션 혁명으로 알려진 군사 쿠데타로 독재 정권이 종식되고 민주적 전환의 길이 열렸습니다. 사 카르네이루는 사회적 시장 경제와 의회 민주주의를 주창하는 중도 우파 정당인 사회민주당(PSD)으로 이름을 바꾼 인민민주당(PPD)의 창당자 중 한 명이었습니다. 그는 당 사무총장을 거쳐 당 대표를 지냈으며, 여러 임시 정부에서 무소속으로 장관을 역임했습니다.

또한 1975년에는 제헌국회의원에, 1976년에는 공화국 하원의원에 선출되었습니다. 그는 공산주의자들의 정권 탈취 위협, 아프리카 식민지의 독립, 경제 불황, 정치적 불안정 등 격동의 과도기 동안 여러 가지 도전과 위기에 직면했습니다. 또한 덴마크 태생의 출판업자인 스누 아베카시스와 사랑에 빠져 1976년 아내와 별거하는 등 개인 생활에도 어려움을 겪어야 했습니다.

1979년, 그는 자신의 사회민주당(PSD), 우파 민주사회중심당(CDS), 그리고 두 개의 군소 정당과 연합하여 민주동맹(AD)을 결성했습니다. 그해 총선에서 민주동맹(AD)을 승리로 이끌고 1980년 1월 3일 포르투갈의 총리가 되었습니다. 그는 혁명 이후 처음으로 다수당 정부를 구성하고 경제 안정화, 사회 개혁, 유럽 통합 정책을 추진했습니다.

프란시스코 사 카르네이루는 1980년 대통령 선거에서 안토니우 하말류 이아네스(António Ramalho Eanes) 대통령의 재선에 맞서 상대 후보 수아레스 카르네이루(Soares Carneiro)를 지지했습니다. 사 카르네이루는 자신의 정치적 견해를 공유하고 자신의 개혁을 실행하는 데 도움을 줄 수 있는 대통령을 원했습니다.

그러나 그의 계획은 비극적인 사건으로 인해 좌절되었습니다. 1980년 12월 4일, 대통령 선거를 사흘 앞두고 포르투에서 열리는 선거 유세장으로 향하던 중 리스본 공항을 이륙한 직후 세스나 421 기종이 로우레스(Loures)의 카마라트(Camarate) 지역에 추락하는 사고가 발생했습니다. 그는 파트너인 스누 아베카시스, 국방부 장관 아델리누 아마루 다 코스타, 그리고 다른 4명과 함께 즉사했습니다. 3일 뒤 그가 지지했던 후보도 선거에서 패배합니다.

그의 죽음은 전 국민에게 충격과 슬픔을 안겨주었고, 추락 원인과 상황에 대한 많은 의문과 의혹을 불러일으켰습니다. 여러 차례 조사가 진행되었지만 사고인지 암살인지 결정적으로 밝혀내지 못했습니다. 초기 조사에선 사고로 결론났고 이후 의회 조사를 통해 기내에 폭탄이 있었다는 증거가 발견되었음에도 공소시효 만료로 인해 흐지부지 되었습니다.. 이 미스터리는 오늘날까지도 풀리지 않은 채로 남아 있습니다.

사 카르네이루는 포르투갈 역사상 가장 카리스마 있고 영향력 있는 지도자 중 한 명으로 널리 알려져 있습니다. 포르투 공항(Aeroporto Francisco Sá Carneiro)을 비롯해 그의 이름을 딴 여러 기념물, 거리, 기관이 그의 업적을 기리고 있습니다.

PAULA REGO

파울라 헤구
(1935 - 2022)

파울라 헤구(Paula Rego)는 인간 본성의 어둡고 복잡한 측면을 탐구하는 그림과 판화를 제작한 포르투갈계 영국인 예술가입니다. 그녀는 이야기, 신화, 동화, 자신의 개인적인 경험에서 영감을 받아 생생하고 표현력이 풍부한 이미지로 변형시켰습니다. 헤구는 20세기 말과 21세기 초에 가장 영향력 있고 독창적인 여성 예술가 중 한 명으로 널리 알려져 있습니다.

헤구는 1935년 1월 26일 포르투갈 리스본에서 태어났습니다. 그녀의 아버지는 마르코니 회사에서 근무한 전기 기술자이자 반파시스트 운동가였습니다. 그녀의 어머니는 직업을 갖지 않은 재능 있는 예술가였습니다. 헤구는 네 살 때부터 그림을 그리기 시작했고 예술에 대한 깊은 관심을 보였습니다. 그녀는 어린 시절 할머니와 보내는 시간이 많았는데, 할머니는 나중에 그녀의 작품에 영향을 준 많은 전통 민화를 들려주었습니다.

헤구는 리스본에서 중등교육을 마치자 마자 1952년 영국으로 예술 교육을 받기 위해 떠났습니다. 런던의 슬레이드 예술학교(Slade School of Fine Art)에 입학한 그녀는 그곳에서 동료 화가인 미래의 남편 빅터 윌링(Victor Willing)을 만났습니다. 두 사람은 1959년에 결혼하여 세 자녀를 낳았습니다.

헤구와 윌링은 추상미술과 개념미술의 지배적인 경향에 반기를 든 젊은 예술가 그룹의 일원이었습니다. 이들은 개인적인 경험과 감정을 바탕으로 비유적이고 표현적인 그림을 그리는 것을 선호했습니다. 이들은 데이비드 호크니와 프랭크 아우어바흐가 포함된 예술가 집단인 런던 그룹과 인연을 맺게 되었습니다. 또한 헤구는 고야, 벨라스케스, 호가스 등 올드 마스터와 초현실주의자, 특히 막스 에른스트와 르네 마그리트의 작품에 감탄했습니다.

헤구의 초기 작품은 안토니우 데 올리베이라 살라자르의 독재 아래 있던 포르투갈의 정치적, 사회적 혼란에 영향을 받았습니다. 그녀는 우화와 상징주의를 사용하여 정권의 억압과 폭력, 가톨릭 교회와 가부장적 사회의 역할을 비판했습니다. 또한 섹슈얼리티, 젠더, 권력이라는 주제를 탐구하며 여성을 강인하고 반항적이며 전복적인 캐릭터로 묘사하기도 했습니다. 이 시기의 대표작으로는 살라자르가 조국을 토하다(Salazar Vomiting the Homeland)(1960), 하녀들(The Maids)(1987), 가족(The Family)(1988) 등이 있습니다.

1988년, 헤구는 남편이 오랫동안 투병하던 다발성 경화증으로 사망하는 개인적인 비극을 겪게 됩니다. 그녀는 런던으로 돌아와 풍부하고 빛나는 색상과 질감을 표현할 수 있는 파스텔 작업을 시작했습니다. 또한 동화, 동요, 민화, 문학 등의 이야기를 작품의 소재로 삼기 시작했습니다. 그녀는 이러한 이야기를 페미니즘적 관점에서 재해석하여 인간 행동과 관계의 어둡고 불안한 측면을 강조했습니다. 이 시기의 유명한 작품으로는 백설공주와 새엄마(Snow White and her Stepmother)(1995), 필로우맨(The Pillowman)(2004), 제인 에어(Jane Eyre)(2005) 등이 있습니다.

헤구는 낙태, 우울증, 전쟁 등 논란의 여지가 있고 금기시되는 주제를 작품에서 다루는 것을 두려워하지 않았습니다. 그녀는 자신의 예술을 행동주의와 사회적 논평의 한 형태로 활용하여 인식을 제고하고 고정관념과 편견에 도전했습니다. 또한 어린 시절의 기억, 결혼, 모성애, 노화 등 자신의 개인적인 경험을 바탕으로 그림을 그렸습니다. 그녀는 다양한 역할과 시나리오에서 자신과 가족, 친구들을 묘사하여 자신의 삶과 정체성에 대한 복잡하고 친밀한 초상화를 만들어 냈습니다. 이 시기의 주목할 만한 작품으로는 낙태(Aborto) 삼부작(1998), 우울증 시리즈(2007), 붉은 자화상(2009) 등이 있습니다.

헤구는 대영제국 훈장 댐 커맨더, 산티아구 다 에스파다 기사단 대십자 훈장, 카몽이스 훈장 그랜드 칼라 등 많은 영예와 상을 받았습니다. 또한 왕립 아카데미 회원으로 선출되어 테이트 브리튼, 안티가 국립미술관, 파울라 헤구 역사관 등 주요 박물관과 갤러리에서 여러 차례 회고전을 열기도 했습니다. 그녀는 2022년 6월 8일 87세의 나이로 세상을 떠날 때까지 런던에서 거주하며 활동했습니다. 그녀의 무덤은 영국 런던 햄프스티드 묘지(Hampstead Cemetery)에 남편과 함께 있습니다.

디오구 프레이타스 두 아마랄 (1941 - 2019)

디오구 프레이타스 두 아마랄(Diogo Freitas do Amaral)은 법학, 정치학, 문학 등 다양한 분야에서 탁월한 능력을 발휘한 포르투갈의 저명한 인물이었습니다. 그는 1941년 7월 21일 포르투갈 북부의 해안 마을인 포보아 데 바르짐(Póvoa de Varzim)에서 두아르테 데 프레이타스 두 아마랄과 마리아 필로미나 데 캄포스 트로카두의 세 번째이자 살아남은 첫 번째 아들로 태어났습니다.

디오구는 에스타두 노보 정권의 변호사이자 교수, 장관이었던 아버지의 발자취를 따라 법과 정치에 일찍부터 관심을 보였습니다. 그는 리스본의 명문 리세우 페드루 누네스 고등학교(Liceu Pedro Nunes)에 입학하여 1959년에 중등 과정을 마쳤습니다. 그 후 리스본 대학교 법학부에 입학하여 1963년 법학박사 학위를 취득했습니다. 그는 1961~1962년 법학부 학생 총회를 주재하는 등 활발한 학생 리더로 활동했습니다. 또한 학생 잡지 '권리(O Direito)'와 협력하여 법률 및 정치 문제에 대한 자신의 견해를 표명하기도 했습니다. 그는 같은 학부에서 행정법과 정치학을 전공하며 학업을 계속했습니다. 1967년 행정법원의 판결 집행에 관한 논문으로 박사 학위를 취득했습니다.

디오구 프레이타스 두 아마랄은 학문적 업적 외에도 저명한 정치가이자 외교관으로 활동했습니다. 그는 1974년 카네이션 혁명 이후 기독교 민주주의 정당인 민주사회센터(CDS)의 창립자이자 초대 지도자 중 한 명이었습니다. 그는 1975년 제헌의회 의원으로 선출되어 1976년 제1차 공화국 헌법의 사회주의적 지향에 반대했습니다. 그는 1982년까지, 그리고 1988년부터 1991년까지 다시 CDS를 이끌었습니다.

그는 외무부 장관, 부총리, 국방부 장관 등 여러 정부 직책을 역임했습니다. 또한 1980~1981년 프란시스코 데 사 카르네이루가 비행기 추락 사고로 사망한 후 잠시 총리 대행을 역임하기도 했습니다. 1986년 대통령 선거에서 우파 연합의 후보로 출마했으나 2차 투표에서 마리오 수아레스(Mário Soares)에게 근소한 차이로 패했습니다. 1995~1996년 유엔 총회 의장, 1997~1999년 유럽인민당 총재를 역임했습니다.

그는 온건하고 실용적인 자세로 다른 정치 세력과의 합의와 대화를 추구하는 것으로 유명했습니다. 그는 포르투갈의 유럽연합 및 북대서양조약기구 통합을 지지했지만, 2003년 미국의 이라크 침공에는 반대했습니다. 또한 포르투갈 아프리카 영토의 탈식민지화와 동티모르의 독립 인정을 주장했으며, 1979년 중화인민공화국의 외교적 인정에도 핵심적인 역할을 했습니다. 앙골라 내전 중재와 리스본 조약 협상 등 여러 외교 임무에 참여했습니다.

말년에 그는 CDS와 거리를 두고 무소속이 되었습니다. 그는 2005~2006년 주제 소크라테스 사회당 정부에서 외무부 장관으로 일했는데, 이는 그의 예전 동지들로부터 비판을 받았습니다. 2006년 6월 건강상의 이유로 공직에서 물러났으며, 2007년에는 지난 50년간의 행정법 변화에 대한 마지막 강연을 끝으로 교직에서 은퇴했습니다.

다작 작가이기도 한 그는 법률, 역사, 문학을 주제로 한 여러 권의 책을 출간했습니다. 포르투갈의 초대 왕인 아폰소 엔히크스와 포르투갈의 5대 왕인 D. 아폰소 3세 등 역사적 인물의 전기를 썼습니다. 또한 『비리아투(Viriato)』과 같은 희곡을 썼습니다. 그는 문학 작품으로 PEN 클럽상, 디니스상, 카몽이스상 등 여러 상을 수상했습니다.

1965년 문학평론가이자 작가였던 마리아 주제 살가두 사르멘투 드 마투스와 결혼했습니다. 두 사람 사이에는 네 명의 자녀가 있었습니다. 또한 9명의 손자를 둔 할아버지이기도 했습니다. 그는 2019년 10월 3일 카스카이스에서 78세의 나이로 오랜 투병 끝에 사망했습니다. 그는 제로니무스 수도원에서 국장으로 영예롭게 장례를 치렀고 카스카이스의 기아(Guia) 공동묘지에 묻혔습니다.

디오구 프레이타스 두 아마랄은 법학, 정치학, 문학 분야에서 지속적인 유산을 남긴 뛰어난 인물이었습니다. 그는 문화, 대화, 중용의 사람이었습니다. 그는 자신의 말을 빌리자면 "신념은 중도주의자이고 기질은 개혁주의자"였습니다. 무엇보다도 그는 조국과 국민을 사랑한 포르투갈인이었습니다.

에우제비우 (1942 - 2014)

흑표범으로도 알려진 에우제비우 다 실바 페레이라(Eusébio da Silva Ferreira)는 역사상 가장 위대한 축구 선수 중 한 명입니다. 그는 1942년 1월 25일 아프리카의 포르투갈 식민지였던 포르투갈 모잠비크의 수도인 로우렌수 마르케스(Lourenço Marques)에서 태어났습니다. 가난한 동네에서 자란 그는 양말로 만든 공으로 친구들과 축구를 하며 자랐습니다.

그는 축구에 타고난 재능을 보였고 곧 지역 클럽의 관심을 끌었습니다. 그는 리스본에서 가장 큰 클럽 중 하나인 스포르팅 클럽의 유소년 팀인 스포르팅 클럽 로우렌수 마르케스(Sporting Lourenço Marques)에 입단했습니다. 유소년 팀에서 42경기에 출전해 77골을 넣은 그는 1960년 리스본에서 열린 시범경기에 초청받았습니다.

하지만 스포르팅의 라이벌이었던 벤피카의 스카우트가 이 18세의 재능있는 인재를 라고스에 있는 한 호텔로 숨겨서 다른 팀과의 접촉을 막고 벤피카와 계약하도록 설득했습니다. 이로 인해 스포르팅은 에우제비우가 자신들의 선수이며 벤피카가 그를 훔쳐갔다고 주장하면서 수년 동안 논란이 지속되었습니다. 나중에 에우제비우는 벤피카가 더 나은 조건과 자신의 우상이었던 팀의 주장 주제 아과스(José Águas)와 함께 뛸 수 있는 기회를 제공했기 때문에 벤피카를 선택했다고 말했습니다.

1961년 19세의 나이로 벤피카에서 데뷔한 에우제비우는 강력한 오른발과 스피드, 기술, 운동 능력으로 골을 넣으며 단숨에 스타로 떠올랐습니다. 그는 벤피카가 포르투갈 리그 우승 11회, 포르투갈 컵 우승 5회, 유럽에서 가장 권위 있는 클럽 대회인 유러피언컵 우승 1회를 달성하는 데 기여했습니다. 또한 1963년 AC 밀란, 1965년 인터 밀란, 1968년 맨체스터 유나이티드에 패해 유러피언 컵 결승에 세 번 더 진출했습니다. 그는 유러피언 컵에서 세 차례나 득점왕에 올랐으며, 48골로 알프레도 디 스테파노에 이어 대회 역사상 두 번째로 많은 득점을 기록했습니다. 또한 1968년 유럽 최고 득점자에게 수여하는 유럽 골든 부트를 수상한 최초의 선수였으며 1973년에도 그 위업을 달성했습니다. 1965년에는 유럽 올해의 축구 선수로 선정되었고, 1962년과 1966년에는 준우승을 차지했습니다. 440경기에 출전해 473골을 넣은 벤피카의 역대 최다 득점자입니다.

에우제비우는 포르투갈 대표팀에서도 맹활약하며 64번이나 대표팀에 선발되어 41골을 넣었습니다. 1961년 국제 무대에 데뷔한 그는 1966년 영국에서 열린 첫 번째이자 유일한 월드컵에 출전했습니다. 그는 8강전에서 북한을 상대로 역전승을 거둔 4골을 포함해 9골을 넣으며 포르투갈의 역사적인 3위를 이끌었습니다. 그는 대회 득점왕이자 최우수 선수로 선정되어 골든 부트와 골든 볼을 수상했습니다. 또한 월드컵 역사상 가장 유명한 골 중 하나인 조별리그 브라질과의 경기에서 디펜딩 챔피언을 탈락시키는 장거리 슛을 성공시켰습니다. 상대팀 선수들은 그의 기술과 페어플레이, 스포츠맨십을 칭찬하며 널리 존경했습니다. 영국 팬들은 그를 '검은 진주'라는 별명으로 불렀고, 포르투갈이 준결승에서 영국에 패배한 후 웸블리 스타디움에서 기립 박수를 보냈습니다. 그는 훗날 1966년 월드컵이 자신의 커리어에서 가장 기억에 남는 대회였으며 영국이 집처럼 편안했다고 말했습니다.

1974년 심각한 무릎 부상을 당한 후 1970년대 초반부터 에우제비우의 커리어는 쇠퇴하기 시작했습니다. 1975년 벤피카를 떠나 북미와 포르투갈의 여러 팀에서 활약하다가 1979년 은퇴했습니다.

에우제비우는 2014년 1월 5일 리스본에서 71세의 나이로 심장마비로 사망했습니다. 그는 국장으로 장례를 치렀고, 그의 관은 벤피카의 경기장인 에스타디오 다 루즈에서 수천 명의 팬들이 박수를 치며 그의 이름을 연호하는 가운데 운구 행렬이 이어졌습니다. 그는 시인 루이스 데 카몽이스, 탐험가 바스코 다 가마 등 포르투갈의 다른 영웅들과 함께 국립 판테온에 묻혔습니다. 그는 이 영예를 안은 최초의 스포츠인이자 1985년 이후 이곳에 묻힌 최초의 인물입니다. 또한 전 세계 여러 축구 경기에서 1분간 묵념을 하고 벤피카 경기장 외부에 동상을 세우는 영예를 안았습니다.

ANTONIO LOBO ANTUNES

안토니우 로보 안투네스 (1942)

안토니우 로보 안투네스(António Lobo Antunes)는 1942년 9월 1일 포르투갈 리스본에서 높은 사회적 지위와 지적 명성을 가진 가정에서 태어났습니다. 그의 아버지 주앙 알프레도 로보 안투네스는 노벨상 수상자 에가스 모니즈와 함께 연구한 저명한 신경과 의사이자 교수였습니다. 어머니 마리아 마르가리다 마샤두 데 알메이다 리마는 여섯 아들을 키운 가정주부였으며, 그중 안토니우가 장남이었습니다. 7살 때부터 문학에 관심이 많았던 안토니우는 아버지의 권유로 리스본 대학교에서 의학을 공부했고, 1968년 의사로 졸업했습니다. 그 후 정신과를 전공하고 리스본의 미구엘 봄바르다 병원에서 근무했습니다.

1971년, 안토니오는 군의관으로 징집되어 포르투갈이 아프리카 식민지의 독립 운동에 맞서 싸웠던 포르투갈 식민지 전쟁(1961~1974)에 참전했습니다. 그는 앙골라에 주둔하며 전쟁의 참상과 민중들의 고통을 목격했습니다. 그는 첫 딸 마리아를 임신하고 있던 첫 번째 부인 마리아 주제 자비에르 다 폰세카 에 코스타에게 자신의 경험과 감정을 담은 편지를 썼습니다. 이 편지들은 나중에 '이 종이에 묘사된 이 삶(D'este viver aqui neste papel descripto)라는 제목의 책으로 출판되었으며, 이 책은 영화 <전쟁에서 온 편지(Cartas da Guerra)>에 영감을 주기도 했습니다. 안토니우와 마리아 주제는 1973년에 또 다른 딸 조아나를 낳았습니다.

1973년 아프리카에서 돌아온 안토니오는 전쟁으로 인한 트라우마와 환멸을 느꼈습니다. 그는 낮에는 정신과 진료를 하면서 저녁에는 글쓰기에 전념하기로 결심했습니다. 1979년 아내와의 이별과 정신적 붕괴를 다룬 첫 번째 소설 『코끼리의 기억(Memória de Elefante)』을 출간했습니다. 이 소설은 성공을 거두며 그의 문학 경력의 시작을 알렸습니다. 그는 곧 윌리엄 포크너와 루이 페르디난드 셀린의 영향을 받은 밀도 있고 복잡하며 혁신적인 스타일로 유명한 당대 가장 호평받고 영향력 있는 포르투갈 작가 중 한 명이 되었습니다.

그는 20편이 넘는 소설을 썼으며, 그 중 많은 작품이 전쟁, 죽음, 기억, 정체성 등을 주제로 다루었습니다. 그의 대표작으로는 『유다의 엉덩이』(Os Cus de Judas), 『파두 알렉산드리노』(Fado Alexandrino), 『캐러벨의 귀환(As Naus)』, 『종교 재판관의 매뉴얼(Manual dos Inquisidores)』, 『나는 돌을 사랑할 것이다(Eu Hei-de Amar Uma Pedra)』 등이 있습니다. 그의 소설은 30개 이상의 언어로 번역되었으며 카뮈스상, 예루살렘상, 후안 룰포상 등 수많은 상을 수상했습니다. 또한 노벨 문학상 후보로 거론되기도 했습니다.

포르투갈 잡지 Visão에 격주로 칼럼을 기고하며 다양한 주제에 대한 자신의 의견과 성찰을 표현했습니다. 2007년에는 포르투갈어 문학 부문에서 가장 권위 있는 상인 카몽이스(Camões) 상을 수상했으며, Nelas 지역에 그의 이름을 딴 도서관이 있습니다. 그는 포르투갈 최고의 영예 중 하나인 산티아구 다 에스파다 기사단 대십자 훈장을 받았습니다.

마리아 주앙 피레스 (1944)

마리아 주앙 피레스(Maria João Pires)는 포르투갈 출신의 피아니스트로, 클래식과 낭만주의 레퍼토리를 가장 잘 해석하는 사람 중 한 명으로 널리 알려져 있습니다. 그녀는 1944년 7월 23일 리스본에서 주앙 밥티스타 피레스와 알지라 도스 산토스 알렉산드르 바르보사의 사후 딸로 태어났습니다. 그녀에게는 세 명의 형제가 있었습니다. 그녀는 어릴 때부터 음악에 남다른 재능을 보였는데, 4살 때 첫 공개 공연을 하고 9살 때 포르투갈의 젊은 음악가 최고상을 수상했습니다.

리스본 음악원에서 캄포스 코엘류(Campos Coelho)에게 음악과 피아노를 사사하며 작곡, 이론, 음악사도 배웠습니다. 이후 독일로 건너가 뮌헨 국립음대에서 로슬 슈미드(Rosl Schmid), 하노버에서 칼 엥겔(Karl Engel)을 사사하며 공부를 계속했습니다. 1970년 브뤼셀에서 열린 베토벤 200주년 기념 콩쿠르에서 우승하면서 국제적인 명성을 얻었습니다. 이후 유럽, 미국, 캐나다, 이스라엘, 일본의 주요 오케스트라 및 지휘자들과 협연하며 바흐, 베토벤, 슈만, 슈베르트, 모차르트, 브람스, 쇼팽 및 기타 작곡가의 작품을 해석했습니다.

그녀는 에라토와 도이치 그라모폰에서 슈베르트 즉흥곡 전곡, 쇼팽의 녹턴과 기타 작품, 아우구스틴 뒤메이(Augustin Dumay), 지안 왕(Jiang Wang)과 함께한 모차르트 트리오 등 다수의 성공적인 음반을 녹음했습니다.

그녀는 연주회 외에도 삶과 공동체, 교육에서 예술이 미치는 영향에 대해 성찰하고 이러한 사고방식을 사회에 정착시킬 수 있는 새로운 방법을 모색하는 데 전념했습니다. 그녀는 개인과 문화의 발전을 존중하고 아이디어의 공유를 장려하는 새로운 방법을 모색했습니다. 1999년에는 포르투갈에 벨기에 예술 연구 센터를 설립하여 전문 음악가와 음악 애호가를 위한 학제 간 워크숍을 제공했습니다. 다만 그녀가 2006년 브라질로 이주하면서 벨기에 예술 연구 센터를 떠났습니다. 또한 파르티투라 합창단, 파르티투라 워크숍, 지혜의 날 등 젊은 음악가 양성을 위한 여러 프로젝트를 시작했습니다.

2012년부터 2016년까지 벨기에의 퀸 엘리자베스 음악 채플에서 마스터 인 레지던스로 활동하며 전 세계의 재능 있는 피아니스트들에게 피아노 레슨과 마스터 클래스를 제공했습니다. 산티아고 다 에스파다 기사단 훈장, 엔히크 왕자 훈장, 자유 훈장, 레오니 소닝 음악상, 에른스트 폰 지멘스 음악상, 황제 훈장, 바르셀로나 폼페우 파브라 대학교 명예 박사 학위 등 많은 영예와 상을 받았습니다. 2023년에는 왕립음악원 명예회원 자격을 받게 됩니다.

카를로스 로페스 (1947)

카를로스 로페스(Carlos Lopes)는 1947년 2월 18일 포르투갈 비제우 인근의 작은 마을 빌데모인호스에서 태어났습니다. 그는 가난한 집안의 6남매 중 막내로 태어났습니다. 그의 아버지는 석공이었고 어머니는 주부였습니다. 카를로스는 10살 때부터 가족을 부양하기 위해 석공의 도우미로 일하기 시작했습니다. 그는 축구를 하고 싶었지만 아버지가 허락하지 않아 다른 스포츠로 전향했습니다.

16살이 되던 어느 날 밤, 친구들과 춤을 추고 집으로 돌아오던 중 자신이 다른 친구들보다 빠르다는 것을 깨달았습니다. 그는 지역 육상 클럽인 루지타누 데 빌데모이뉴스(Lusitano de Vildemoinho)에 가입하기로 결심했고, 곧 장거리 달리기에 재능을 보였습니다. 그는 첫 대회인 상 실베스트르(São Silvestre)에서 우승한 후 크로스컨트리 지역 챔피언이 되었습니다. 또한 전국 주니어 크로스컨트리 선수권 대회에 출전하여 3위를 차지하며 모로코 라바트에서 열린 국제 크로스컨트리 선수권 대회에 국가대표로 출전할 자격을 얻었습니다. 이 대회에서 그는 포르투갈 선수 중 최고 성적인 25위를 기록했습니다.

1967년 리스본으로 이주하여 포르투갈에서 가장 명문 클럽 중 하나인 스포르팅 클루브 데 포르투갈(Sporting Clube de Portugal)에 입단했습니다. 그곳에서 그는 선수 생활 내내 그를 지도했던 코치이자 멘토인 마리오 모니즈 페레이라를 만났습니다.

1972년 독일 뮌헨에서 열린 올림픽에 데뷔한 다음, 1976년 캐나다 몬트리올 올림픽에서는 전설적인 핀란드 선수 라세 비렌에 이어 10,000미터에서 은메달을 획득하며 더 나은 성적을 거뒀습니다. 그는 포르투갈 선수로는 최초로 육상 올림픽 메달을 딴 선수이자 모든 종목에서 두 번째로 메달을 딴 선수였습니다. 또한 10,000미터의 후반부를 전반부보다 빠르게 달리는 최초의 선수가 되어 놀라운 페이스 가속 능력을 보여주었습니다.

로페스는 1976년 웨일스 쳅스토우에서 열린 세계 크로스컨트리 선수권 대회에서 우승하고 1977년 독일 뒤셀도르프에서 열린 세계 크로스컨트리 선수권 대회에서 2위를 차지하는 등 크로스컨트리에서 계속해서 뛰어난 활약을 펼쳤습니다. 또한 1982년 노르웨이 오슬로에서 27:24.39의 기록으로 10,000미터 유럽 신기록을 세웠습니다.

로페스는 장거리 달리기 선수들의 궁극적인 도전인 마라톤에도 뛰어들었습니다. 1982년 미국 뉴욕에서 열린 첫 마라톤 대회에 참가했지만 관중과 부딪히는 사고로 완주하지 못했습니다. 1983년 네덜란드 로테르담에서 열린 두 번째 마라톤 대회에서 그는

2:08:39의 유럽 신기록으로 호주인 로버트 드 카스텔라에 이어 2위를 차지했습니다. 우승자에게 불과 2초 뒤진 기록이었지만, 그는 훌륭한 마라토너가 될 수 있는 잠재력을 보여줬습니다.

로페스는 1984년 미국 로스앤젤레스 올림픽 마라톤에서 금메달을 획득하며 커리어의 정점에 도달했습니다. 당시 37세였던 그는 마라톤에서 최고령 올림픽 챔피언이 되었습니다. 그는 또한 2:09:21의 올림픽 신기록을 세웠는데, 이 기록은 2008년 베이징올림픽때까지 24년 동안 유지되었습니다. 그는 포르투갈 국기를 흔들며 포르투갈 최초의 올림픽 금메달리스트가 된 자신의 역사적인 업적을 축하했습니다.

로페스는 여기서 멈추지 않았습니다. 1984년 미국 이스트 러더퍼드에서 열린 세계 크로스컨트리 선수권 대회와 1985년 포르투갈 리스본에서 열린 세계 크로스컨트리 선수권 대회에서 두 번째와 세 번째 우승을 차지했습니다. 또한 1985년 네덜란드 로테르담에서 2:07:12의 기록으로 마라톤 세계 신기록을 세웠습니다. 그는 2:08의 벽을 깬 최초의 주자였으며, 자신의 유럽 기록을 1분 이상 단축했습니다. 또한 올림픽 마라톤과 세계 크로스컨트리 선수권 대회에서 모두 우승한 최초의 선수이기도 합니다.

로페스는 1985년 38세의 나이로 경쟁적인 달리기 선수에서 은퇴했습니다. 그는 당대 최고의 장거리 달리기 선수 중 한 명이자 포르투갈 육상계에서 가장 영향력 있는 인물 중 한 명이었습니다. 그는 로자 모타(Rosa Mota, 1988년 서울 올림픽 마라톤 금메달), 안토니우 레이탕(António Leitão), 페르난두 마메드(Fernando Mamede) 등 많은 다른 선수들이 그의 발자취를 따라 성공을 거두도록 영감을 주었습니다..

포르투갈을 만든
결정적 인물 2부

하말류 오르티강 (1836 - 1915)

19세기 포르투갈 문학의 거장인 주제 두아르트 하말류 오르티강(José Duarte Ramalho Ortigão)는 1836년 11월 24일 포르투 산토 일데폰소 교구의 Casa de Germalde에서 태어났습니다. 9남매 중 장남으로, 그의 아버지는 포병대의 중위 조아킴 다 코스타 라말료 오르티가오, 어머니는 안토니아 알베스 두아르테 실바였습니다. 그의 어린 시절은 외할머니의 보살핌과 삼촌이자 대부인 프레이 호세 도 사크라멘토의 학구적인 가르침 아래 포르투 영지의 전원적인 매력에 흠뻑 빠져 있었습니다.

하말류는 잠시 코임브라 대학에서 법을 공부한 적이 있습니다. 하지만 법학은 그의 운명이 아니었고, 아버지의 발자취를 따라 프랑스어를 가르치고 포르투에 있는 신학교 콜레지오 다 라파(Colégio da Lapa)를 이끌게 되었습니다. 하말류는 일찍부터 저널리즘의 세계에 빠져들었고, Jornal do Porto와 군주주의 신문 'O Correio :

Semanário Monárquico'에 글을 기고하며 작가 경력을 시작했습니다.

포르투에서는 낭만주의와 사실주의 간의 충돌을 상징하는 문화적, 문학적 논쟁인 코임브라 논쟁에도 열정적으로 참여했습니다. 그의 팸플릿 "오늘의 문학"은 안테루 드 켄탈(Antero de Quental)과의 결투로 절정에 달했습니다. 1866년 2월 6일 자르딤 데 아르카 다구아(Jardim de Arca d'Água)에서 벌어진 진검 대결에서 육체적으로는 상처를 입었지만 라말료의 정신은 멀쩡했습니다. 포르투에서의 삶에 불만을 품은 하말류는 리스본으로 이주하여 리스본 과학 아카데미의 공무원으로 자리를 잡았습니다.

리스본에서 하말류는 옛 제자 에사 드 케이로스(Eça de Queirós)와 운명적으로 재회했습니다. 두 사람은 훗날 "끔찍한 소설"이라고 표현한 '신트라 가도의 미스터리(O Mistério da Estrada de Sintra)(1870)'를 함께 집필하며 포르투갈 탐정 소설의 기초를 닦았습니다.

하말류와 에사 드 케이로스의 합작 천재성은 풍자적 출판물인 'As Farpas'를 통해 빛을 발했습니다. 1871년 처음 함께 발행된 이 작품은 결국 '유쾌한 캠페인(Uma Campanha Alegre)라는 제목으로 두 권에 걸쳐 출간되었습니다. 에사가 해외 영사 업무를 위해 떠난 후 하말류는 혼자서 'As Farpas'를 계속 집필하며 포르투갈 산문을 풍부하게 다듬어 비판적 관찰자이자 교육자로서의 유산을 굳혔습니다.

하말류의 영향력은 처음에는 유럽식으로 포르투갈 사회를 현대화하려 했지만 나중에는 포르투갈의 전통적인 뿌리를 재발견하기 위해 돌아선 그룹인 제70세대와 깊이 얽혀 있었습니다. 이러한 이념적 전환으로 인해 그는 빠르게 변화하는 세상 속에서 왕권의 위신을 지키기 위해 노력하는 지식인 집단인 "인생의 패배자(Os Vencidos da Vida)"에 참여하게 되었습니다.

1908년 국왕 암살에 대한 충격으로 하말류는 '카를로스 국왕: 순교자(Rei D. Carlos: o martyrizado)'를 집필했습니다. 1910년 포르투갈 공화국이 출범하자 그는 즉시 아주다 왕립 도서관의 직책에서 물러났습니다. 새로운 정권에 대한 경멸을 표명하고 파리에서 스스로 망명을 택한 것입니다. 그곳에서 그는 1911년부터 1914년까지 공화국 통치에 대한 가슴 아픈 비판을 담은 'Últimas Farpas'를 집필하기 시작했습니다.

1912년 포르투갈로 돌아온 하말류는 1914년에 출간한 영향력 있는 저서 '한 노인이 새 세대에게 보내는 편지'에서 부상하는 루시타노 통합주의 운동을 찬양했습니다. 그는 자신의 세대에서 다음 세대로 이어지는 심오한 지적 변화를 인식하고, 새로운 엘리트에 대한 구 엘리트의 존중이 필요하다고 생각했습니다.

안타깝게도 암이 하말류의 마지막 해를 괴롭혔습니다. 1915년 9월 27일 리스본 자택에서 병으로 사망했습니다. 그의 죽음은 한 시대의 종말이자 포르투갈 문화를 넘어 울려 퍼지는 작품인 아스 파르파스와 같은 작품을 남긴 문학적 거목의 상실을 의미했습니다.

안테루 드 켄탈 (1842 - 1891)

안테루 드 켄탈(Antero de Quental)은 19세기 후반 포르투갈의 문화적, 정치적 변화에 중추적인 역할을 한 포르투갈의 시인, 철학자, 작가였습니다. 그는 이전 세대의 낭만주의와 보수주의에 도전하고 사실주의, 사회 개혁, 공화주의를 옹호한 젊은 지식인들의 모임인 코임브라 세대의 리더였습니다. 또한 그는 개인적인 투쟁, 철학적 탐구, 사회적 비전을 반영하는 다작의 영향력 있는 소네트 시인이었습니다.

안테루 드 켄탈은 1842년 4월 18일 아조레스 제도의 상미겔 섬에 있는 폰타 델가다(Ponta Delgada)에서 태어났습니다. 그는 작가와 신비주의자였던 조상을 둔 귀족적이고 교양 있는 가문 출신이었습니다. 그는 어린 시절부터 시에 재능을 보였습니다. 1858년에는 코임브라 대학교에서 법학을 공부하기 위해 이주하였고, 그곳에서 테오필루 브라가(Teófilo Braga), 주앙 드 데우스(João de Deus), 게하 준

케이루(Guerra Junqueiro) 등 다른 젊은 시인들과 친분을 쌓았습니다. 이들은 함께 포르투갈 문학에 문학적, 문화적 혁명을 일으킨 코임브라 세대 또는 제70세대로도 알려져 있습니다.

1861년 데 켄탈은 첫 시집인 '안테로의 소네트'를 출간했는데, 이 시집은 낭만주의와 독일 이상주의의 영향을 보여주었습니다. 그는 또한 사회주의에 관심을 가지고 국제노동자협회 포르투갈 지부에 가입했습니다. 1865년에는 포르투갈 왕정, 가톨릭 교회, 부르주아 사회에 대한 사회적, 정치적 비판을 담은 시집 '현대의 송가(Modern Odes)'를 출간했습니다. 또한 팸플릿 'Bom Senso e Bom Gosto'를 집필하여 특히 카스티유(António Feliciano de Castilho)를 비롯한 낭만주의 시인들의 형식주의와 평범함을 공격했는데, 이는 코임브라 논쟁 또는 코임브라 문제로 알려진 뜨거운 논쟁을 불러일으키며 포르투갈 문학에서 낭만주의의 종말과 사실주의의 시작을 알렸습니다.

켄탈은 1866년 코임브라를 떠나 리스본으로 이주하여 식자공이자 저널리스트로 일했습니다. 또한 파리를 여행하며 피에르조제프 프루동, 오귀스트 콩트, 에르네스트 르낭의 사회주의와 실증주의 사상에 노출되었습니다. 그는 노동자 운동과 사회 변화의 가능성에 환멸을 느끼고 실존적 질문에 대한 답을 찾기 위해 철학으로 눈을 돌렸습니다. 그는 철학사를 공부하고 자연철학, 역사철학, 문학철학 등에 관한 에세이를 여러 편 썼습니다. 또한 주로 소네트를 중심으로 시를 계속 썼으며, 1886년에 출간된 '소네트 전집'에 수록하였습니다. 그의 소네트는 포르투갈어로 쓰인 최고의 소네트 중 하나로 꼽히며, 내면의 혼란, 종교적 의심, 형이상학적 고뇌, 조화와 아름다움에 대한 갈망을 담고 있습니다.

퀜탈은 우울증과 척추 질환을 앓았으며, 이는 그의 신체적, 정신적 건강에 영향을 미쳤습니다. 그는 수치료, 자기요법, 최면술 등 다양한 치료법을 시도했지만 효과가 없었습니다. 그는 종교에서도 위안을 찾았으며 가톨릭교, 개신교, 불교, 신지학 등 다양한 형태의 영성을 탐구했습니다. 1891년에는 가족과 친구들에게서 평화와 위안을 찾기를 바라며 고향 섬인 폰타 델가다로 돌아갔습니다. 그러나 그는 절망과 외로움을 극복하지 못하고 스스로 목숨을 끊기로 결심했습니다. 1891년 9월 11일 폰타 델가다에 있는 희망의 성모 수도원(Convento de Nossa Senhora da Esperança)에서 가슴에 리볼버를 발사해 49세의 나이로 생을 마감했습니다.

안테루 드 퀜탈은 포르투갈 문화사에서 주목할 만한 인물로, 시, 철학, 사회 사상 분야에 지속적인 유산을 남겼습니다. 그는 현대 세계를 형성한 심오한 변화를 목격하고 참여한 시대의 인물이었습니다. 또한 그는 여전히 인간의 조건을 괴롭히는 몇몇 도전과 딜레마를 예상한 시대를 앞서간 인물이기도 했습니다. 그는 비전적인 이상주의와 비극적인 현실주의, 혁명적 열정과 멜랑콜리한 체념, 합리적인 회의론과 신비주의적 열망을 결합한 모순적인 인물이었습니다. 그는 포르투갈어와 문학을 그의 숭고하고 심오한 소네트를 통해 풍요롭게 한 천재적인 인물로, 그의 보편적이고 시대를 초월한 인간주의를 표현했습니다.

안토니우 드 올리베이라 살라자르 (1889 - 1970)

안토니우 드 올리베이라 살라자르(António de Oliveira Salazar)는 1932년부터 1968년까지 36년간 포르투갈을 독재자로 통치한 포르투갈의 경제학자이자 정치인입니다. 그는 국가주의적이고 권위주의적인 체제인 에스타도 노부((Estado Novo)(신국가)의 창시자이자 지도자로, 시민의 자유를 억압하고 언론을 검열하며 식민주의를 유지했습니다. 그는 또한 가톨릭 신자이자 반공주의자로서 포르투갈의 전통적인 가치와 정체성을 보존하고자 했습니다. 그는 1970년 뇌출혈로 쓰러진 후 후임자인 마르셀루 카이타누(Marcello Caetano)에 의해 권력에서 밀려난 후 사망했습니다.

살라자르는 1889년 4월 28일 비제우 인근에 있는 작은 마을 비미에이루(Vimieiro)에서 태어났습니다. 그는 소박한 영지 관리인의 아들이자 독실한 어머니의 아들이었습니다. 그는 비제우에 있는 신학교를 다녔고, 코임브라 대학교를 졸업한 후 1914년 법학사를 취득하고 1917년 경제학 교수가 되었습니다. 그는 가톨릭 사회 교리와 당시의 보수 정치 사상에 영향을 받았습니다. 1921년 가톨릭 센터당에 입당하여 의회에 선출되었으나 제1공화국의 불안정과 부패에 환멸을 느껴 한 회기 만에 사퇴했습니다.

1926년 군사 쿠데타로 공화정 정부가 전복되고 독재 정권이 수립되었으며, 이후 1928년 살라자르를 재무장관으로 초청했습니다. 살라자르는 예산과 경제에 대한 전권을 갖는다는 조건으로 이 직책을 수락했습니다. 그는 공공 재정을 균형 있게 조정하고 통화를 안정시키며 외채를 줄이는 일련의 긴축 조치와 개혁을 시행했습니다. 또한 사회를 다양한 경제 부문과 직업의 이익을 대표하는 수직 조합으로 조직하고 국가의 감독을 받는 조합주의 체제를 만들었습니다.

1932년 살라자르는 포르투갈의 총리이자 사실상의 독재자가 되었습니다. 1933년에는 다른 모든 정당과 운동을 금지하고 살라자르에게 충성하는 국민연합을 제외한 단일 정당 체제인 에스타도 노부를 수립하는 새 헌법을 초안했습니다. 그는 또한 의회를 폐지하고 지지자들로 구성된 거수기에 불과한 국민의회로 대체했습니다. 그는 행정부, 사법부, 군부 모두를 통제했으며 자율성이 거의 없는 자신의 장관을 임명했습니다. 그는 검열, 감시, 투옥, 고문, 암살 등을 통해 모든 반대나 이견을 억압하는 비밀경찰인 PIDE를 창설했습니다. 또한 시민의 시민권과 자유, 특히 여성, 노동자, 소수민족의 권리와 자유를 제한했습니다.

살라자르의 외교 정책은 중립, 불간섭, 식민주의 원칙에 기반했습니다. 그는 가톨릭 교회와 바티칸과 긴밀한 동맹을 유지했으며

1940년에는 교회에 특권과 영향력을 부여하는 협정을 체결하여 교회의 교육, 도덕, 사회 문제에 영향을 미쳤습니다. 그는 또한 이탈리아와 독일의 파시스트 정권을 지지했으며 스페인 내전 이후 프랑코의 스페인을 인정했습니다. 그러나 그는 주로 포르투갈의 해외 식민지와 무역 이익을 보호하기 위해 제2차 세계 대전 동안 포르투갈을 중립국으로 유지했습니다. 또한 포르투갈의 방위와 서방 블록 편입을 보장하기 위한 방안으로 1949년 NATO에 가입했습니다.

살라자르의 주요 목표는 부와 명성, 선교의 원천으로 여겼던 포르투갈의 식민지 제국을 보존하는 것이었습니다. 그는 식민지에 자치권이나 자결권을 부여하는 것을 거부하고 "하나의 민족, 하나의 국가, 하나의 인종"이라는 원칙을 옹호했습니다. 그는 1930년 식민지법을 제정하여 식민지를 포르투갈의 불가분의 일부로 규정하고 1951년 포르투갈 해외법을 제정하여 해외 주로 개칭했습니다. 또한 앙골라와 모잠비크 등 식민지에 포르투갈 정착민의 정착을 촉진하고 원주민을 포르투갈 문화와 시민권에 동화시키는 정책을 추진했습니다. 또한 식민지의 천연 자원과 노동력을 착취하고 식민지의 발전과 복지에는 거의 투자하지 않았습니다.

살라자르의 식민 정책은 1950년대와 1960년대 아시아와 아프리카의 탈식민지화 운동이 탄력을 받으면서 국제사회로부터 저항과 비판에 직면했습니다. 그는 포르투갈의 식민주의를 비난하고 종식을 요구하는 유엔 결의에 따르지 않았습니다. 또한 미국과 영국 등 동맹국들의 민족주의 운동과의 협상 및 식민지 독립 부여 요구도 무시했습니다. 그는 반식민주의 투쟁을 공산주의 음모라고 간주하고 1961년부터 1974년까지 지속된 포르투갈 식민 전쟁으로 알려진 앙골라, 모잠비크, 기니비사우의 게릴라 세력과 값비싸고 잔인한 전쟁을 벌였습니다.

살라자르 정권은 당시의 민주주의적이고 진보적인 사상에 영향을 받은 젊은 세대와 더 교육받은 세대들로부터 내부적인 도전과 불만을 겪었습니다. 이들은 더 많은 정치적, 사회적 자유, 더 많은 경제적, 문화적 기회, 그리고 정부 참여와 대표성을 요구했습니다. 또한 수천 명의 사상자와 징집을 초래하고 국가의 자원과 발전을 고갈시킨 식민 전쟁에 반대했습니다. 이들은 파업, 시위, 청원, 출판물, 노래, 예술, 지하 운동 등 다양한 형태의 저항과 시위를 조직했습니다. 이들 중 일부는 1937년과 1968년 살라자르에 대한 암살 시도와 같은 폭력과 테러에 의존하기도 했습니다.

살라자르의 통치는 1968년 8월 3일 자택에서 의자에서 쓰러지면서 머리를 크게 다친 후 끝이 났습니다. 그는 입원하여 수술을 받았지만 완전히 회복하지 못했습니다. 1968년 9월 27일 그의 뒤를 이은 마르셀루 카이타누(Marcello Caetano)는 정권을 개혁하고 야당을 회유하려 했으나 국민과 식민지의 요구를 충족시키지 못했습니다. 살라자르는 자신이 권좌에서 밀려나고 국가에 변화가 있었다는 사실을 알지 못한 채 1970년 7월 27일 상 벤투 궁전에서 81세의 나이로 사망할 때까지 여전히 자신이 총리라고 믿었습니다. 그는 사후 고향인 비미에이루에 묻혔으며, 그의 삶과 유산을 기리는 박물관이 나중에 이곳에 문을 열었습니다.

움베르투 다 실바 델가두 (1906 - 1965)

움베르투 다 실바 델가두(Humberto da Silva Delgado)는 살라자르 독재정권에 도전한 포르투갈의 장군, 외교관, 정치인으로 저항과 민주주의의 상징이 되었습니다. 그는 1906년 5월 15일 산타렘 지역의 보킬로부(Boquilobo)라는 작은 마을에서 태어났습니다. 그는 군사 대학을 졸업하고 육군 포병대에 입대했습니다. 1926년 쿠데타에 참여하여 제1공화국을 전복시키고 나중에 살라자르가 주도하는 에스타도 노부 정권으로 발전한 국가독재체제를 수립했습니다. 그는 국가민간항공청 국장, TAP 에어 포르투갈 설립자, 포르투갈 Legion 총사령관, 포르투갈 청년부 차관, 기업체 하원 대표 등 다양한 직책을 역임하며 수년간 정권을 지지했습니다. 그는 또한 자신의 저서에서 히틀러와 그의 반민주적 견해에 대한 존경을 표하기도 했습니다.

그러나 1952년 워싱턴 D.C.에 있는 포르투갈 대사관의 무관으로 임명되면서 정권에 대한 충성심이 바뀌었습니다. 그곳에서 그는 미국 민주주의와 냉전 긴장을 목격했고, 살라자르의 고립주의와 권위주의에 비판적이 되었습니다. 그는 또한 포르투갈 공산당과 포르투갈 민주운동 같은 야당 세력과 접촉을 시작했습니다. 1958년 외교직에서 사임하고 야당의 지지를 받아 대통령 선거에 출마를 선언했습니다. 그는 정권 후보인 아메리쿠 토마스(Américo Tomás)에 맞서 민주적이고 사회적인 개혁을 공약으로 내세우며 당선되면 살라자르를 해임하겠다고 약속하며 선거운동을 펼쳤습니다. 그는 특히 도시와 노동자 계층 사이에서 인기를 얻었고 '두려움 없는 장군'이라는 별명을 얻었습니다.

그러나 선거는 정권에 의해 조작되어 부정, 협박, 검열 등을 동원하였기에 국민들의 압도적인 지지를 받았던 델가두는 23%의 득표율밖에 얻지 못했고, 존재감도 없었던 살라자르의 꼭두각시 토마스는 76.4%의 득표율로 당선되었습니다. 델가두는 결과를 받아들이지 않고 선거 과정을 사기라고 비난했습니다. 그는 브라질로 망명하여 반대 활동을 계속하고 살라자르에 대한 군사 쿠데타를 조직하려고 했습니다. 또한 프랑스, 이탈리아, 모로코, 알제리 등 여러 나라를 방문하여 국제사회의 지지와 인정을 구했습니다. 1964년에는 반파시스트 단체들의 우산 조직인 포르투갈 국민해방전선의 의장으로 선출되었습니다.

1965년 2월 13일, 델가두는 스페인 국경 근처에서 포르투갈 비밀경찰인 PIDE 요원들에게 암살당했습니다. 그는 비서인 아라자리르 모레이라 드 캄포스와 함께 총에 맞아 살해당했고, 시신은 30km 떨어진 도랑에 몰래 버려졌습니다. 그의 암살은 포르투갈 국민과 국제사회에 분노와 모욕감을 불러일으켰고, 정권에 대한 반대를 더욱 증폭시켰습니다. 그는 사후에 자유의 기사단 대십자훈장, 탑과 검 기사단, 아비즈 기사단 등 여러 훈장과 표창을 받았습니다. 그는 포르투갈 역사상 가장 중요한 인물 중 하나로 민주주의의 영웅으로 평가받고 있습니다.

그의 유해는 1975년 스페인에서 리스본의 프라제레스 묘지로 이장되었으며, 포르투갈 공화국 수립 80주년을 기념하는 1990년 10월 5일, 국립 판테온으로 옮겨졌습니다. 그가 살해된 지 50주년이 되는 2015년에는 리스본 시의회에서 리스본 국제 공항의 이름을 그의 이름을 따서 움베르투 델가두 공항(Aeroporto Humberto Delgado)으로 변경해줄 것을 포르투갈 정부에 요청했고, 이듬해 2016년 5월 15일부터 공식적으로 변경되었습니다.

마르셀루 카이타누 (1906 - 1980)

마르셀루 카이타누(Marcelo Caetano)는 1933년부터 1974년까지 포르투갈을 지배한 권위주의 정권인 에스타두 노부의 두 번째이자 마지막 지도자가 된 포르투갈 정치인이자 학자였습니다. 그는 또한 헌법, 정치 이론, 역사 등 다양한 주제에 대해 다작의 글을 남긴 법학 교수이기도 했습니다.

카이타누는 1906년 8월 17일 포르투갈 리스본에서 태어났습니다. 그는 카몽이스 중등학교와 리스본 대학교를 다녔으며, 1931년에 법학 박사 학위를 취득했습니다. 1931년 같은 대학 법학부의 강사가 되었고 1938년에는 정교수가 되었습니다. 1935년부터 1955년까지 에스타두 노부의 입법 기관인 조합원 회의의 회원이기도 했습니다.

카이타누는 1930년대 안토니우 드 올리베이라 살라자르 정권 초기부터 정치 경력을 쌓기 시작했습니다. 그는 보수 정치인이자 젊은 시절 자칭 보수주의자였습니다. 그는 포르투갈의 유일한 합법 정당인 국민연합에 가입하여 1936년 사무총장이 되었습니다. 그는 살라자르 총리 시절 식민지 장관(1944-1947), 대통령 비서실장(1955-1958), 외무장관(1956-1957) 등 다양한 장관직을 역임했습니다. 또한 조합원 회의 의장(1949-1955), 리스본 대학교 총장(1959-1962), 포르투갈 청년단 국가위원장(1940-1944)을 역임했습니다.

카이타누는 살라자르의 충성스러운 지지자로 여겨졌지만, 식민지 정책, 가톨릭 교회의 역할, 외부 세계에 대한 개방 정도 등 일부 사안에 대해서는 그와 의견 차이가 있었습니다. 그는 아프리카 식민지 전쟁에 대해 보다 실용적이고 유연한 접근 방식을 주장했고, 바티칸에 대해 보다 타협적인 태도를 취했으며, 야당과 시민 사회에 대해 보다 관용적이고 근대화된 입장을 취했습니다. 그는 또한 유럽 통합과 대서양 동맹에 관심을 가지고 있었으며, 미국 및 영국과의 관계 개선을 모색했습니다.

카이타누는 1968년 9월 살라자르 총리가 머리를 다치고 쓰러진 후 포르투갈 총리가 되었습니다. 그는 경제 침체, 사회 불안, 식민지 전쟁에서의 군사적 패배 등으로 어려움을 겪고 있던 상황을 물려받았습니다. 그는 언론 자유화, 검열 완화, 사회 보장 확대, 산업화 촉진, 행정 분권화 등의 개혁을 시도했습니다. 또한 해외 식민지에 일부 자치권을 부여하고 아프리카 민족주의 운동과 대화를 시작함으로써 식민지 분쟁에 대한 평화적 해결을 모색했습니다.

그러나 카이타누의 개혁은 야당과 사회의 요구를 만족시키기에는 너무 제한적이고 늦었으며, 정권 내 강경파와 보수파를 만족시키기에는 너무 급진적이고 빨랐습니다. 그는 특권과 권력을 상실할

까 두려워한 정치, 군사, 경제 엘리트들의 저항에 직면했습니다. 또한 그를 파시스트이자 식민주의자라고 비난한 급진 좌파의 적대감에도 직면했습니다. 그는 전쟁이 계속되고 국제적 압력이 증가함에 따라 아프리카에서 지속적인 평화를 달성하는 데 실패했습니다. 그는 미국과 영국이 포르투갈 정권과 거리를 두고 식민지의 자결을 지지함에 따라 동맹국의 지지를 확보하는 데 실패했습니다. 그는 포르투갈이 유럽경제공동체와 유엔에서 배제됨에 따라 포르투갈의 고립을 막지 못했습니다.

카이타누 정권은 1974년 4월 25일, 젊은 군 장교들이 에스타두 노부를 종식시키고 민주적 전환을 시작한 카네이션 혁명으로 알려진 쿠데타를 일으키면서 붕괴되었습니다. 카이타누는 체포되어 사임을 강요당했습니다. 그는 브라질로 망명하여 1980년 10월 26일 리우데자네이루에서 사망할 때까지 그곳에서 살았습니다. 그는 보타포구(Botafogo)에 있는 성 세례 요한 묘지(Cemitério São João Batista)에 묻혔습니다.

미겔 토르가
(1907 - 1995)

미겔 토르가(Miguel Torga)는 1907년 8월 12일 트라스오스몬테스 주 북동부에 위치한 작은 마을 상 마르티뉴 드 안타(São Martinho de Anta)에서 아돌푸 코헤이아 다 로샤(Adolfo Correia da Rocha)라는 이름으로 태어났습니다. 그는 가난한 농부의 아들로 제대로 된 교육을 받을 형편이 되지 못했습니다. 10살 때 그는 라메구에 있는 가톨릭 신학교에 보내져 고전과 종교 교육을 받았습니다. 그러나 그는 곧 신학교의 엄격하고 억압적인 환경에 불만을 품고 학업을 포기하기로 결심했습니다.

1920년, 그의 아버지는 그를 브라질로 이주시켜 삼촌의 커피 농장에서 일하도록 주선했습니다. 그의 삼촌은 그의 지능과 재능을 알아보고 고등학교 교육비를 대주며 문학적 관심을 추구하도록 격려했습니다. 토르가는 시를 쓰기 시작했고 포르투갈어로 "heather(포르투갈에 흔한 진달래과 식물)"를 뜻하는 필명 '토르가'을 채택했는데, 이 식물은 그의 고향인 산에서 자라는 식물입니다. 그는 또한 자연주의와 다원주의에 대한 열정을 키웠는데, 이는 그의 세계관과 문학 스타일에 영향을 미쳤습니다.

1925년 그는 포르투갈로 돌아와 삼촌의 지원에 힘입어 코임브라 대학교에 입학하여 의학을 공부했습니다. 또한 그는 도시의 문화 및 문학 생활에 참여하여 모더니즘 운동에 참여하고 두 개의 잡지인 시날과 매니페스토를 창간했습니다. 1928년에는 첫 시집인 '안시에다지(Anxiety)'를 출간했고, 1930년에는 '람파(Ramp)'를 출간했습니다. 그의 시는 존재론적 불안, 반항심, 자유와 정의에 대한 열망을 표현했습니다.

1933년 그는 의과대학을 졸업하고 고향 마을과 전국 각지에서 진료를 시작했습니다. 또한 소설, 단편소설, 희곡, 에세이 등의 작품을 계속해서 쓰고 출간했습니다. 그는 농촌 생활의 가혹한 현실과 국가의 사회적, 경제적 문제를 묘사한 지역주의와 신사실주의 운동의 영향을 받았습니다. 또한 자신의 경험, 자연에 대한 관찰, 역사와 신화에 대한 지식에서 영감을 얻었습니다.

그의 대표적인 소설 작품으로는 어린 시절부터 성인기까지의 삶을 다룬 6권짜리 자서전 소설인 '세계의 창조(A Criação do Mundo)', 동물들의 삶과 성격, 인간과의 상호작용을 묘사한 단편집 '비코스(Bichos)', 트라스오스몬테스의 사람들과 풍경에 초점을 맞춘 또 다른 단편집 '몬타냐의 이야기(Contos da Montanha)' 등이 있습니다.

하지만 토르가의 가장 호평받고 영향력 있는 작품은 1932년부터 1993년까지 쓴 16권짜리 개인 일기인 '다이어리(Diário)'입니다. 이 일기는 작가, 의사, 시민, 인간으로서의 생각, 감정, 의견, 관찰, 경험을 기록한 풍부하고 다양한 문서입니다. 또한 포르투갈과 그의 생애 동안 세계에서 일어난 역사적, 사회적 변화뿐만 아니라 한 사람이자 예술가로서의 그의 발전을 반영합니다. 이 일기는 포르투갈 문학의 걸작이자 토르가의 문학적, 인간적 위대함의 증거로 여겨집니다.

토르가의 작품은 종종 너무 급진적이거나 논란의 여지가 있거나 전복적이라고 생각한 당국과 대중에게 항상 잘 받아들여진 것은 아니었습니다. 1939년에는 가톨릭 교회와 살라자르의 파시스트 정권에 모욕적이라고 간주된 책을 출판했다는 이유로 두 달 동안 수감되기도 했습니다. 또한 독재에 대한 반대와 민주주의와 인권에 대한 지지로 검열, 박해, 고립에 직면하기도 했습니다. 그는 여러 차례 노벨 문학상 후보에 올랐지만 정치적 이유로 수상하지 못했습니다.

그는 포르투갈 국내외에서 가장 중요하고 존경받는 작가 중 한 명으로 인정받아 1981년 몽테뉴상, 1989년 최초의 카몽이스상 등 여러 상과 명예를 받았습니다. 또한 그의 독자들은 그의 정직함, 용기, 독창성을 높이 평가하며 존경하고 사랑했습니다.

토르가는 1995년 1월 17일 코임브라에서 87세의 나이로 사망했습니다. 그는 고향 마을에 묻혔으며, 필명으로 사용했던 토르가가 심어져 있는 그의 묘비에는 이름과 비문이 새겨져 있습니다: "여기 아돌푸 코헤이아 다 로샤로 태어난 미구엘 토르가가 누워 있습니다. 그는 돌들이 사람들보다 더 살아 숨쉬는 땅에서 사람들 사이에서 그저 한 인간이고 싶었습니다."

안토니우 드 스피놀라 (1910 - 1996)

안토니우 드 스피놀라(António de Spínola)는 포르투갈의 군사 장교, 작가, 정치가로 포르투갈의 독재 정권에서 민주주의로의 전환에 중요한 역할을 했습니다. 그는 1974년 카네이션 혁명 이후 공화국의 초대 대통령으로, 에스타두 노부의 권위주의 정권을 종식시켰습니다. 또한 아프리카 식민지 전쟁에서 협상을 통한 분쟁 해결을 주장한 저명한 인물이었습니다.

스피놀라는 1910년 4월 11일 포르투갈 알렌테주 지역의 도시 에스트레모즈(Estremoz)에서 태어났습니다. 스피놀라는 열 살 때 어머니를 여의고 리스본에 있는 명문 군사학교인 콜레지우 밀리타르(Colégio Militar)에 보내졌습니다. 그는 어린 시절부터 승마에 대한 관심과 재능을 보였습니다.

1930년 군사 아카데미에 입학하여 기병대를 선택했습니다. 1933년에 졸업하고 리스본에 있는 제7기병연대에 배치되었습니다. 1939

년에는 내무부 산하 준군사조직인 공화국수비대(GNR) 총사령관의 부관이 되었습니다. 또한 기병 장교들을 위한 전문 간행물인 기병 매거진을 창간하기도 했습니다.

제2차 세계 대전 동안 포르투갈은 전쟁에 참여하지 않았기 때문에 스피놀라는 중립을 유지했습니다.

1961년 스피놀라는 서아프리카 포르투갈 식민지에서 일어난 민족주의 봉기에 자원하여 복무했습니다. 1968년에는 치열한 게릴라전이 벌어지고 있던 포르투갈 기니(현재 기니비사우)의 총독 겸 군 총사령관으로 임명되었습니다. 그는 현지 주민과 전통적인 권위를 존중하는 정책을 채택하고 개발 프로젝트와 사회 서비스를 통해 그들의 마음을 얻으려고 노력했습니다.

1973년 스피놀라는 포르투갈로 돌아왔고 이듬해 장군으로 진급했습니다. 그는 "포르투갈과 미래(Portugal e o Futuro)"라는 책을 출간하여 정권의 식민지 정책을 비판하고 민주적 개혁과 평화적 탈식민지화를 주장했습니다. 이 책은 베스트셀러가 되어 여론과 군부에서 센세이션을 일으켰습니다. 스피놀라는 정권에 대항하는 쿠데타를 계획한 비밀 조직인 무장세력운동(MFA)의 지도자가 되었습니다.

1974년 4월 25일 MFA는 에스타두 노부를 전복시키고 포르투갈에 민주주의를 회복시킨 무혈 군사 쿠데타인 카네이션 혁명을 일으켰습니다. 스피놀라는 반란군 중 가장 선임되고 존경받는 장교였기에 임시 정부인 국가구원군의 의장으로 임명되었습니다. 그는 1926년 이후 최초로 선출된 국가수반이 되어 1974년 5월 15일 공화국 대통령으로 취임했습니다. 그는 아델리노 다 팔마 카를루스를 총리로 임명하고 민주화와 탈식민지화를 추진했습니다. 또한 정치범 사면을 단행하고 마리오 수아레스(Mário Soares)와 알바루 쿠냘(Álvaro Cunhal) 같은 망명 야당 지도자들을 환영했습니다.

그러나 스피놀라는 곧 MFA의 급진 세력과 좌파 정당들로부터 더 급진적이고 사회주의적인 국가 개혁을 요구하는 반대에 직면했습니다. 스피놀라는 포르투갈의 통일과 전 식민지에서의 영향력을 유지하고자 했으며 아프리카 영토의 즉각적이고 무조건적인 독립에 반대했습니다. 또한 강력한 대통령제를 유지하고자 했으며 MFA와 헌법 초안을 놓고 충돌했습니다. 1974년 7월과 9월 두 차례의 쿠데타 시도와 함께 여러 시위와 파업에 직면했습니다. 그는 1974년 9월 30일에 사임했고, 프란시스쿠 다 코스타 고메스 장군이 그의 뒤를 이었습니다.

공화국 대통령에서 사임한 후 스피놀라는 1975년 3월 11일 실패로 끝난 우익 쿠데타에 연루되어 브라질로 망명했으며, 리스본의 좌파 정부에 반대하는 우파 준군사조직인 포르투갈 해방을 위한 민주운동(MDLP)을 설립했습니다. 1976년 그는 리스본에 도착하자마자 반역 혐의로 체포되었지만 증거 부족을 이유로 48시간 만에 석방되었습니다. 여러 논란에도 불구하고 민주주의 정권 수립에 대한 그의 공적을 인정받아 탑과 검 훈장, 아비즈 훈장, 자유의 대십자훈장 등 여러 훈장을 받았습니다.

스피놀라는 1996년 8월 13일 리스본에서 86세의 나이로 사망했습니다. 그의 장례식은 에스트렐라 성당에서 거행되었고 상 주앙 묘지(Alto de São João Cemetery)에 묻혔습니다.

마리아 드 로우르데스 핀타실구 (1930 - 2004)

마리아 드 로우르데스 핀타실구(Maria de Lourdes Pintasilgo)는 포르투갈의 첫 번째이자 유일한 여성 총리이자 마거릿 대처 총리에 이어 서유럽에서 두 번째 여성 총리로 역사에 이름을 남긴 놀라운 여성이었습니다. 그녀는 또한 화학 엔지니어, 사회 운동가, 가톨릭 지도자, 유럽 정치인이었습니다.

마리아 드 로우르데스는 1930년 1월 18일 포르투갈 중부의 작은 마을 아브란트스(Abrantes)에서 태어났습니다. 그녀가 일곱 살 때 가족은 리스본으로 이사했고, 그녀는 명문 여자 학교인 리세우 D. 필리파 드 랭카스터(Liceu D. Filipa de Lencastre)에 다녔습니다. 그녀는 학업에서 뛰어난 성적을 거두었고 여러 차례 국가상을 수상했습니다. 그녀는 또한 살라자르가 창설한 파시스트 청년 단체인 모시다드 포르투게사(Mocidade Portuguesa)와 종교 운동인 가톨릭 행동(Acção Católica)에 가입했습니다.

1953년, 그녀는 포르투갈 최고의 공과대학인 Instituto Superior Técnico를 졸업하고 산업 화학공학 학위를 취득했습니다. 당시 그녀는 이 분야에서 몇 안 되는 여성 중 한 명이었습니다. 그녀는 국가 원자력 에너지 위원회에서 일할 수 있는 장학금을 받았고, 그 후 대규모 복합 기업인 Companhia União Fabril에 입사하여 연구 및 프로젝트 부서의 수석 엔지니어가 되었습니다. 그녀는 또한 가톨릭 행동에 계속 참여하여 여성 학생 지부의 리더가 되었습니다.

1961년, 그녀는 직장을 그만두고 파리로 가서 유엔 기구인 국제노동기구에서 일했습니다. 그녀는 또한 국제 가톨릭 여성 운동인 그레이에 가입하여 1965년에 회장이 되었습니다. 그녀는 전 세계를 돌아다니며 사회 정의, 여성의 권리, 에큐메니즘을 홍보했습니다. 그녀는 또한 가톨릭 교회의 주요 개혁인 제2차 바티칸 공의회에 옵서버로 참석하기도 했습니다.

1969년, 그녀는 포르투갈로 돌아와 안토니우 드 올리베이라 살라자르의 권위주의 정권의 자문 기구인 코퍼레이티브 챔버의 일원으로 임명되었습니다. 그녀는 의회에서 몇 안 되는 여성이자 유일한 엔지니어였습니다. 그녀는 사회 개혁을 옹호하고 아프리카 식민지 전쟁을 비판했습니다. 그녀는 또한 민주적 토론을 촉진하기 위해 싱크탱크인 사회 연구 센터와 잡지 세데스를 설립했습니다.

1974년, 평화적인 혁명이 포르투갈의 독재 정권을 종식시키고 민주주의로의 전환을 시작했습니다. 마리아 드 로우르데스는 포르투갈 최초의 여성 각료로서 사회보장부 장관으로 초대되어 새 사회보장제도를 만들고 연금, 실업급여, 의료서비스를 확대하는 책임을 맡았습니다. 그녀는 두 번째 임시 정부에서 사회부 장관이 되어 교육, 문화, 주택, 가족계획을 개선하기 위한 여러 프로젝트를 시작했습니다. 1975년, 그녀는 정부를 떠나 유네스코, 즉 유엔 교육과학문화기구의 포르투갈 최초의 대사가 되었습니다.

1979년 안토니우 하말류 이아네스(António Ramalho Eanes) 대통령에 의해 제5대 헌법 정부의 총리로 임명되었습니다. 무소속과 사회당의 지원을 받아 소수 정부를 이끌었습니다. 높은 인플레이션, 실업률, 공공 부채뿐만 아니라 사회적 불안과 어려운 경제 및 정치 상황에 직면했습니다. 그녀는 어려운 상황 속에서도 낙후된 사회 복지 시스템을 현대화하기 위해서 많은 노력을 했습니다. 그러나 그녀의 정부는 5개월 만에 끝났고 1980년 1월 불신임 투표에서 패배했습니다.

총리직에서 물러난 후에도 정치와 시민사회에서 활발한 활동을 펼쳤습니다. 이후 주요 좌파 정당인 사회당에 입당했습니다. 그녀는 또한 1986년에 좌파 정당의 지지를 받는 무소속 후보로 대통령 선거에 출마했습니다. 그녀는 포르투갈에서 최고위직에 출마한 최초의 여성이자 유럽에서는 아이슬란드의 비그디스 핀보가도티르에 이어 두 번째 여성이었습니다. 그녀는 7.4%의 득표율로 4위를 차지했습니다. 이듬해인 1987년 유럽의회 의원으로 선출되어 1989년까지 활동했습니다.

2004년 7월 10일 오랜 투병 끝에 74세의 나이로 리스본에서 사망했습니다. 그녀는 프라제레스 묘지의 소박한 무덤에 묻혔습니다. 포르투갈, 유럽, 세계를 위해 헌신한 선구자, 비전가, 인도주의자로 기억되고 있습니다.

시자 비에이라 (1933)

알바루 시자 비에이라(Álvaro Joaquim de Melo Siza Vieira), 포르투갈에서는 흔히 시자 비에이라(Siza Vieira)로 알려진 그는 현대 건축사에 큰 획을 그린 인물 중 하나입니다. 1933년 6월 25일 포르투갈 포르투 근처 해안 도시 마투지뉴스(Matosinhos)에서 태어난 시자는 어린 시절부터 예술에 끌렸고, 이 끌림은 나중에 건축에 대한 열정으로 굳어졌습니다.

1955년, 그는 현재 그의 이름과 긴밀하고 영향력 있는 관계를 맺고 있는 기관인 포르토 대학교의 파인 아트 스쿨(Faculty of Architecture, FAUP)로 이름이 바뀐 포르투 미술학교를 졸업했습니다. 이곳에서 그는 아내 마리아 안토니아 시자(Maria Antónia Siza)를 만났고, 두 사람은 딸과 아들을 낳았습니다. 1973년 산후우울증으로 인한 아내의 예기치 못한 죽음으로 짧게 끝나긴 했지만, 그들의 파트너십은 그의 개인적인 삶의 주춧돌이었습니다.

시자의 경력은 고향에서의 소박한 프로젝트로 시작되었지만, 그의 재능은 오래 지나지 않아 빛을 발했습니다. 1954년 학업을 마치기도 전에 마투지뉴스에 첫 번째 건축물인 네 채의 주택을 지었고, 포르투에 개인 사무실을 열었습니다. 그의 초기 작품은 전통적인 형태와 모더니즘적 감성을 융합한 독특한 스타일로 특징지어지며, 이는 그의 이름과 동의어가 된 특징입니다.

시자의 건축에 대한 접근 방식은 종종 "시적 모더니즘"으로 묘사되어 왔으며, 이 용어는 그의 디자인의 본질을 포착합니다. 고요하고 명상적이며 주변 환경과 조화롭게 통합된 디자인입니다. 1966년에 완공된 레사 다 팔메이라 수영장 단지(Piscinas de Marés de Leça da Palmeira)는 그의 이러한 철학을 잘 보여주는 초기 걸작 중 하나입니다. 바다 전망과 함께 자연 암석 지형에 새겨진 이 수영장 단지는 공학적 업적이자 예술 작품입니다.

1974년 포르투갈 혁명은 포르투갈의 사회적 구조에 큰 변화를 가져왔고 시자에게 사회 주택 프로젝트에 참여할 기회를 제공했습니다. 그는 소외계층을 위한 공공주택 보급정책(SAAL, Serviço de Apoio Ambulatório Local)의 후원 아래 포르투 외곽에 1,200채의 저렴한 주택을 설계했습니다. 건축을 통한 사회 복지에 대한 그의 헌신은 실용성과 미적 우아함을 결합한 이 프로젝트에서 분명하게 드러났습니다.

시자의 건축적 흔적은 보아 노바 찻집(Casa de Chá da Boa Nova)(1963), 포르투 대학 건축학부(Faculdade de Arquitectura da Universidade do Porto)(1986), 세랄베스 현대미술관(Museu de Arte Contemporânea de Serralves)(1997), 상벤투 지하철역(Estação de

Metropolitano de São Bento) 등 포르투의 랜드마크에서 볼 수 있습니다. 리스본에서는 바이샤-시아두(Baixa-Chiado) 지하철역, 98엑스포의 포르투갈관(Pavilhão de Portugal), 줄리우 포마르 박물관(Atelier-Museu Júlio Pomar) 등에서 확인할 수 있습니다.

그의 작품은 포르투갈에만 국한되지 않으며 전 세계의 풍경을 수놓고 있습니다. 특히 독일의 홈브로이히 섬에 있는 건축 박물관(Museu Insel Hombroich)과 산티아고 데 콤포스텔라의 갈리시아 현대 미술 센터(Centro Galego de Arte Contemporânea)를 설계했습니다. 한국에서도 파주출판도시의 미메시스 박물관(Museu Mimesis), 용인의 아모레퍼시픽 연구디자인센터 등 그의 작품을 볼 수 있습니다.

시자의 작품에 대한 인정은 전 세계에서 이루어졌습니다. 그는 1992년 리스본의 시아두(Chiado) 지구 개조로 프리츠커상, 2009년 로열 골드 메달, 2011년 UIA 골드 메달 등 건축가가 받을 수 있는 가장 권위 있는 상을 수상했습니다. 그의 첫 번째 브라질 프로젝트인 포르투알레그레의 이베레 카마르고 재단은 2002년 베니스 건축 비엔날레에서 황금사자상을 수상했습니다.

알바로 시자의 삶과 작품은 인공물과 자연, 사회적 책임과 예술적 표현 사이의 조화를 추구하는 여정으로 요약될 수 있습니다. 그의 건축물은 단순히 구조물이 아니라 경험이며, 그 안에 들어가는 사람들에게 깊이 뿌리박히고 초월적인 장소와 시간의 감각을 제공합니다. 그의 유산은 콘크리트와 돌뿐만 아니라 그가 창조한 시적인 공간을 목격한 사람들의 마음과 정신에도 새겨져 있습니다.